Criatividade e Expressão

Exercícios de Português para Estrangeiros

Tatiana Ribeiro

Criatividade e Expressão

Exercícios de Português para Estrangeiros

Preparação de texto: Larissa Lino Barbosa / Verba Editorial
Capa e Projeto gráfico: Alberto Mateus
Diagramação: Crayon Editorial
Assistente editorial: Aline Naomi Sassaki

Dados Internacionais de Catalogação na Publicação (CIP)
(Câmara Brasileira do Livro, SP, Brasil)

Ribeiro, Tatiana
Criatividade e expressão : exercícios de português para estrangeiros / Tatiana Ribeiro. -- Barueri, SP : DISAL, 2015.

Bibliografia.
ISBN 978-85-7844-178-4

1. Português - Brasil 2. Português - Estudo e ensino - Estudantes estrangeiros 3. Português - Livros-texto para estrangeiros 4. Português - Problemas, exercícios etc. I. Título.

15-03066 CDD-469.824

Índices para catálogo sistemático:
1. Português : Livros-texto para estrangeiros 469.824
2. Português para estrangeiros 469.824

Alameda Mamoré 911 – cj. 107
Alphaville – BARUERI – SP
CEP: 06454-040
Tel. / Fax: (11) 4195-2811
Visite nosso site: www.disaleditora.com.br
Televendas: (11) 3226-3111

Fax gratuito: 0800 7707 105/106
E-mail para pedidos: comercialdisal@disal.com.br

SUMÁRIO

APRESENTAÇÃO

Esse livro começou a surgir em sala de aula, durante meus cursos de Português para Estrangeiros na Toscana, Itália. Ainda que mesmo adotando um único livro didático para o ano letivo, sempre procurei utilizar ou consultar mais de um livro de gramática da Língua Portuguesa ao longo dos cursos e foi assim que notei a carência de exercícios onde o aluno pudesse aplicar de forma prática os conhecimentos linguísticos adquiridos.

Comecei criando alguns exercícios e empregando-os em sala de aula, atenta para o retorno que os alunos dariam às atividades propostas. Em seguida, observando o crescente número de estrangeiros, em diversos países do mundo, que procuravam aprender o português e com especial interesse na variante brasileira — talvez por questões ditadas pela situação político-econômica do Brasil como país considerado emergente — resolvi ampliar o âmbito dos exercícios, passando a reuni-los em um livro que pudesse ser utilizado por qualquer professor e por qualquer grupo de alunos de Português para Estrangeiros, independente do país onde se encontrassem. Por isso o livro se apresenta somente em Língua Portuguesa, sem a preocupação de uma edição bilíngue ou trilíngue.

Uma vez elaborados os exercícios, que dão particular enfoque à criatividade do aluno, à capacidade de comunicação em Língua Portuguesa — não importando aqui se estudada como língua estrangeira ou como segunda língua (L2) — constatei que as atividades didáticas propostas poderiam ser perfeitamente utilizadas também por um professor de Português do Ensino Fundamental no Brasil. Seja qual for o objetivo de um grupo, de um curso ou de um professor, *Criatividade e Expressão — Exercícios de Português para Estrangeiros* se propõe como material de apoio no desenvolvimento e aplicação do que foi linguisticamente adquirido, do ponto de vista lexical, sintático, fonológico e da comunicação oral e escrita.

Os diálogos presentes no livro pretendem estimular a comunicação oral de uma forma lúdica, inserindo o aluno no contexto em que se desenvolvem as situações, enquanto as propostas de continuação livre de frases e textos incentivam a criatividade e a produção escrita em Português. Os exercícios informam ainda o aluno acerca de fatos históricos e de personagens marcantes para a cultura brasileira. Tal escolha permite ao professor também trabalhar em sala de aula questões referentes, por exemplo, à História do Brasil, à sua literatura e música, em lugar de abordar somente os aspectos gramaticais do Português contemporâneo.

Meu agradecimento especial à minha família, aos meus professores de Português e aos meus alunos, com os quais estou em constante processo de aprendizagem.

Tatiana Ribeiro

ARTIGOS DEFINIDOS E INDEFINIDOS

Preencha as lacunas com os Artigos Definidos *(o, a, os, as)*:

1. _____ ilusão	**7.** _____ licor	**13.** _____ serpente
2. _____ alarme	**8.** _____ agendas	**14.** _____ dentes
3. _____ telefonema	**9.** _____ sondagem	**15.** _____ envelope
4. _____ enigma	**10.** _____ viagem	**16.** _____ pétalas
5. _____ mistérios	**11.** _____ carvalho	**17.** _____ bagagem
6. _____ cartão-postal	**12.** _____ pera	**18.** _____ vantagens

Agora preencha as lacunas com os Artigos Indefinidos *(um, uma, uns, umas)*:

1. _____ cor	**7.** _____ escola	**13.** _____ enfermeira
2. _____ hotel	**8.** _____ escritório	**14.** _____ abajur
3. _____ bar	**9.** _____ dentista	**15.** _____ lâmpada
4. _____ apartamentos	**10.** _____ professor	**16.** _____ máquina
5. _____ castelo	**11.** _____ geladeiras	**17.** _____ televisão
6. _____ mesas	**12.** _____ papel	**18.** _____ carros

Agora faça o contrário: onde você colocou o artigo definido, coloque o indefinido e vice-versa.

Complete as frases abaixo com os artigos definidos *(o, a, os, as)*:

1 _______ carro dele é azul.
2 _______ camisa do Paulo é vermelha.
3 _______ cintos do José são pretos.
4 _______ casas da cidade são brancas.
5 _______ bandeira do Brasil é verde, azul e amarela.
6 _______ cor do meu avental é verde.
7 _______ vestido da Maria é lilás.
8 _______ lápis é marrom.
9 _______ bolsa é rosa.
10 _______ paredes da casa são cinza.
11 _______ mar do Rio é azul-escuro.
13 _______ águas do Caribe são azul-turquesa.

PRONOMES POSSESSIVOS

Complete as frases com os Pronomes Possessivos adequados, conforme o exemplo:

________________ livro é novo *(nós)*.

1 _______ casa fica em uma rua tranquila. ***(eu)***
2 _______ mãe é bonita. ***(eu)***
3 _______ caderno de português está em cima da mesa. ***(você)***
4 _______ professora é muito inteligente. ***(nós)***
5 _______ amigo é espanhol e fala português muito bem. ***(eu)***
6 _______ caipirinha está pronta! ***(nós)***
7 _______ alunos são simpáticos. ***(eu)***
8 _______ diretora é belga. ***(nós)***
9 _______ bolsa é nova? ***(você)***
10 _______ namorada é italiana? ***(você)***

Coloque na ordem correta:

1 amigo – pai – o – estrangeiro – do – meu – é.

____

2 simpáticas – são – as tias – e bonitas – de vocês.

____

3 é – muito – o – dela – bravo – cachorro – e morde.

____

4 fica – escola – numa – deles – colina – a – de Florença.

____

5 fala – o – de vocês – médico – alemão?

____

Escolha a opção certa:

1 O colégio militar ________ fica numa praça no centro da cidade. ***(meu – nossa – dele – seu)***.

2 A saia ________ é muito curta!
(sua – deles – dela – nossas)

3 O ________ livro de português é interessante.
(sua – dele – nosso – minha)

4 O ________ carro novo não é espaçoso.
(seus – dela – meu)

5 As cadeiras da casa ________ não são confortáveis.
(suas – deles – meu – tuas)

6 O ________ hotel é bem localizado
(tua – nosso – dele – de vocês)

7 O advogado ________ se interessa por crimes passionais.
(meus – tua – seu – deles)

8 O marido __________ é um ótimo jornalista.
(seu – dela – meu – nossos)

9 A __________ caipirinha está deliciosa.
(dela – nossa – minhas – tuas)

10 A gatinha __________ é branca?
(sua – teus – nossa – de vocês)

Substitua o trecho sublinhado com o pronome possessivo adequado, conforme o exemplo:

O apartamento *do Pedro* é muito amplo.
O apartamento *dele* é muito amplo.

1 A mãe da Ana tem 72 anos e é viúva.

____

2 Os amigos do Paulinho gostam de ver TV na hora do jantar.

____

3 A irmã do Antônio e da Carla estuda espanhol na universidade.

____

4 O pai da Francisca é músico e engenheiro.

____

5 Os gatinhos do Pedro são pretos, bonitos e muito bagunceiros!

____

6 A casa de campo dos pais do Francisco
é muito grande e bonita.

____

7 No jardim da casa da minha avó tem muitas árvores.

____

8 A escola das crianças fica ao lado da farmácia
mais cara da cidade.

____

9 O supermercado mais próximo fica ao lado
da casa da Lia.

____

10 O carro dos meus pais é novo.

____

NUMERAIS E VERBOS (REGULARES E IRREGULARES) NO PRESENTE DO INDICATIVO

Escreva por extenso os numerais e conjugue os verbos entre parênteses:

1 Ana, quantos anos você ________ *(ter)*?
Eu ________ *(ter)* ______________________ *(25)* anos.

2 Maria e João ________ *(ter)* ________ *(6)* filhos.
Todos __________ *(estudar)* na mesma escola.

3 Eu nasci em ______________________________ *(1968)*.

4 Quantos irmãos você ________________ *(ter)*?
Eu __________ *(ter)* ______________________ *(9)* irmãos.

5 O ano da Revolução Frances________________ *(ser)*
____ *(1789)*.

6 Quantas línguas você ________________ *(falar)*?
Eu ___________ *(falar)* ____________ *(3)*.

7 Você ______________ *(gostar)* de ______________ *(estudar)*
Português? Claro! Eu ________________ *(estudar)*
__________________ *(2)* vezes por semana!

8 Minha mãe _________ ***(ver)*** televisão todos os dias às _________ ***(19)*** horas. Ela _________ ***(gostar)*** de novelas brasileiras.

9 Eu _________ ***(estar)*** muito cansada! _________ ***(lavar)*** _________ ***(111)*** pratos todo santo dia!

10 Qual _________ ***(ser)*** o dia do aniversário do Pedro? Eu _________ ***(achar)*** que _________ ***(ser)*** dia _________ ***(13)*** de setembro.

____

____

____

____

____

PRONOMES POSSESSIVOS E PRESENTE DO INDICATIVO

Complete com os verbos regulares e irregulares no presente do indicativo ou com os pronomes possessivos dos pronomes pessoais entre parênteses.

1 Todos os dias eu ____________________ ***(acordar)*** cedo,
_______________ ***(escovar)*** os dentes,
_______________ ***(tomar)*** meu café e
_______________ ***(comer)*** um pãozinho gostoso.

2 ____________________ escova de dentes é amarela. ***(eu)***

3 ______________ ***(eu)*** irmão ___________ ***(ser)*** dentista e
_________________ ***(trabalhar)*** numa clínica.

4 ________________ ***(você)*** livros de português
_______________________ ***(estar)*** na estante.

5 __________________ ***(nós)*** casa é muito ampla.

6 O mar da Sardenha _________ ***(ser)*** lindo.

7 __________________ ***(nós)*** classe de português
_________________ ***(gostar)*** muito de música brasileira.

8 Os portugueses ________________ ***(falar)*** um português diferente do que nós ________________ ***(falar)*** no Brasil.

9 Nós ____________________ ***(ter)*** aula de português às terças-feiras.

10 Lia ________________ ***(ensinar)*** matemática na escola.

11 Marisa ____________________ ***(adorar)*** as aulas de português do Brasil.

12 Marco ____________________ ***(pensar)*** em viajar para o Brasil de férias.

13 Cristina ________________ ***(estudar)*** português e chinês.

____

____

____

____

____

PLURAL

Passe as seguintes frases para o plural:

1 O animal é amigo do homem.

____

____

2 O hotel fica na rua do bar.

____

____

3 O jacaré é um réptil?

____

____

4 No próximo mês vou hospedar um amigo inglês.

____

____

5 A raiz do cipreste é profunda, mas não se espalha.

____

____

6 Aquele foi o melhor e mais feliz ano da minha vida.

____

____

7 Esse lençol de linho é novo.

____

____

8 Meu tio é freguês daquela barraca da feira há muitos anos.

____

____

9 Que país você conhece bem?

____

____

10 O texto é muito fácil e simples.

____

____

11 Minha mão está doendo porque preguei muito botão hoje.

____

____

12 Você me empresta seu lápis? Preciso fazer o exercício da última lição.

____

____

13 Ele é filho de português e é um homem muito gentil.

14 Já comprei o pão para hoje.

15 O irmão da Paula é o intérprete daquele chinês, não do espanhol.

PRESENTE SIMPLES DO INDICATIVO

Complete as frases conjugando os verbos regulares e irregulares entre parênteses no Presente do Indicativo.

1 Meus amigos ________________ ***(beber)*** muita cerveja nos fins de semana.

2 Minha amiga ________________ ***(partir)*** agora para Florianópolis.

3 Marcos e José ________________ ***(cuidar)*** do jardim de Maria quando ela viaja.

4 Quando chove ele ________________ ***(cobrir)*** seu carro.

5 Eles sempre ________________ ***(comer)*** pizza depois da aula, mas José prefere feijoada.

6 Você sempre ________________ ***(dizer)*** o que pensa custe o que custar?

7 Antonio, Julia e Ana ________________ ***(fazer)*** muitas coisas para ajudar seus amigos.

8 Agora eu ________________ ***(ir)*** à casa de minha tia para ouvir a rádio.

9 João e eu ________________ ***(ouvir)*** o galo cantar todas as manhãs, você também ________________ ***(ouvir)***?

10 Nós ________________ ***(estar)*** muito cansados porque ________________ ***(trabalhar)*** nos fins de semana.

11 Ela ________________ ***(prestar)*** muita atenção nas aulas.

12 Você ________________ ***(precisar)*** tomar um pouco de suco porque está muito calor!

13 Nós sempre ________________ ***(rir)*** muito no cinema e quando ________________ ***(conversar)*** no barzinho.

14 Eu ________________ ***(saber)*** que você gosta de comer maçãs à noite, antes de dormir.

15 Eu ________________ ***(frequentar)*** o curso de português porque é muito bom aprender um novo idioma.

Complete os diálogos com os verbos no Presente Simples do Indicativo, em seguida, exercite sua pronúncia e entonação

No Bar

– Bom dia, por favor, eu queria um café.

– Bom dia. Com leite ou puro?

– Puro e bem forte.

– Café espresso, então?

– Sim, obrigado. Quanto _______________ ***(custar – presente simples do indicativo)*** o café?

– São dois reais.

– _______________ ***(eu – poder – presente simples do indicativo)*** pagar aqui mesmo?

– Não, senhor. No caixa, à sua direita.

No caixa

– Bom dia, _______________ ***(eu – pagar – presente simples do indicativo)*** um café.

– Bom dia. Com leite?

– Não. Café puro *espresso*.

– O *espresso* são dois reais.

– Está aqui.

– Seu troco.

– Obrigado.

No balcão

– Um café.

– O senhor _______________ ***(ter – presente simples do indicativo)*** a notinha?

– Sim, está aqui.

– Obrigado. É um café espresso, não é?

– Sim. Posso me sentar?

– Claro! Ali tem uma mesa vaga. Fique à vontade. Eu _______________ ***(levar – presente simples do indicativo)*** o café para o senhor.

– Ah! Obrigado. Muito gentil da sua parte.

– O senhor não ________________ ***(querer – presente simples do indicativo)*** comer nada?

– Não, não. É só o cafezinho, mesmo.

– Tá bom. Já ***(eu – levar – presente simples do indicativo)*** ________________ num minutinho.

– Ah, mais uma coisa: tem um banheiro aqui para clientes?

– Sim, senhor. É no segundo andar, no fim do corredor.

– Obrigado.

____

____

____

____

____

PRESENTE SIMPLES DO INDICATIVO COM USO DE FUTURO

Complete as frases com os verbos regulares e irregulares no Presente Simples do Indicativo.

1 Eles ______________ ***(partir)*** para Pernambuco amanhã de manhã.

2 Amanhã eu ______________ ***(sair)*** de casa mais cedo que você.

3 Na semana que vem nós ______________ ***(ir)*** passar uns dias na casa de praia de uns amigos.

4 Pedro ______________ ***(lançar)*** o seu livro na próxima sexta-feira na livraria da esquina.

5 No ano que vem eu ______________ ***(pretender)*** lançar um livro.

6 Você ______________ ***(vir)*** para a minha festa de aniversário?

7 Aquele percussionista ______________ ***(tocar)*** sábado que vem no mesmo lugar.

8 Amanhã, depois do trabalho, eu ______________ ***(responder)*** sua mensagem com calma.

9 No fim de semana eu te ______________ ***(telefonar)*** para combinar onde nos encontramos.

10 Amanhã ______________ ***(fazer)*** um ano que eles se conheceram.

____

____

____

____

____

PRESENTE SIMPLES DO INDICATIVO

Complete o diálogo abaixo conjugando os verbos entre parênteses no Pretérito Simples do Indicativo:

Um grupo de turistas visita o ateliê de uma artista plástica estrangeira que mora em Parati.

Isa – Bom dia! Bem-vindos, ______________ ***(vocês – poder)*** entrar. Fiquem à vontade.

Ana – Bom dia! Obrigada, com licença.

Márcia – Nossa! Que simpática ela, né? Pelo sotaque acho que ______________ ***(ela – ser)*** estrangeira.

Ana – São realmente muito lindas essas cerâmicas. De onde você é?

Isa – ______________________ ***(Eu – ser)*** holandesa, mas ______________________ ***(eu – morar)*** aqui em Parati há 10 anos.

Lucas – Bonito o seu trabalho. Você __________________ ***(gostar)*** de morar em Parati?

Isa – Adoro! Parati é uma cidade tranquila, apesar do grande movimento de turistas em algumas datas do ano.

Roberto – No mês de julho deve ser uma loucura com a FLIP, não é?

Ana – Ah, é verdade! A feira literária... eu sempre penso em vir, é interessante?

Isa – É muito interessante. A cidade fica muito cheia

durante a feira, mas já ____________ ***(nós – estar)*** acostumados e é tudo bastante organizado.

Lucas – É interessante para o turismo, não é? Deve ser bom para os artistas que ____________ ***(eles – expor)*** nos seus ateliês.

Márcia – Você ____________ ***(falar)*** um português perfeito! Ainda tem um pouco de sotaque holandês, mas é natural. E suas peças ____________ ***(ser)*** realmente lindas! Qual é o seu nome?

Isa – Muito obrigada, vocês ____________ ***(ser)*** muito gentis. Meu nome é Isa.

Ana – Por que você decidiu morar em Parati?

Isa – Há dez anos conheci um brasileiro que morava aqui. Ele ______________ ***(ter)*** um barco e ______________ ***(ele – levar)*** os turistas para conhecer as praias aqui em torno.

Roberto – Puxa! Que legal!

Márcia – Isa, quanto ____________ ***(custar)*** essa peça aqui?

Isa – Quarenta reais.

Márcia – Vou ficar com ela.

Isa – Como você ____________ ***(preferir)*** pagar? Em dinheiro ou cartão de crédito?

Márcia – Com cartão de crédito.

Isa – Me acompanhe. Digite o código, por favor. É presente?

Márcia – Não, é pra mim mesmo. Vai ficar lindo na minha sala.

Isa – Que bom, muito obrigada de novo!
Lucas – Obrigada, Isa, você é muito simpática e mais uma vez parabéns pelo seu trabalho!
Isa – Obrigada, gente! Voltem sempre!

Conjugue os seguintes verbos na 2ª pessoa do plural *(vocês)* do indicativo presente:

inovar - ______________________
admitir - ______________________
prometer- ______________________
assistir - ______________________
responder - ______________________
inventar - ______________________
escolher - ______________________
entrar - ______________________
sair - ______________________

Escolha um dos verbos acima e faça uma frase com ele.

____
____

Conjugue os seguintes verbos na 1ª *(nós)* e na 3ª *(eles/elas)* pessoas do plural do presente do indicativo:

repetir - ______________________
parecer - ______________________
distrair - ______________________

redigir - ______________________________
descobrir - ______________________________
mentir - ______________________________
tossir - ______________________________
construir - ______________________________
seguir - ______________________________
reconhecer - ______________________________
dormir - ______________________________

Escolha dois verbos acima e faça 1 frase com cada um deles.

Frase 1:

____

____

Frase 2:

____

____

Complete o texto com os verbos entre parênteses na primeira pessoa do singular *(eu)* no Presente do Indicativo

Eu normalmente ______________ ***(acordar)*** às 9 horas da manhã. Eu ___________ ***(levantar)***, ______________ ***(lavar)*** o rosto, ______________ ***(preparar)*** o café, __________ ***(dar)*** comida para os gatinhos e ______________ ***(tomar)*** o meu café da manhã com minha gatinha no colo. Depois

______ *(ir)* para o computador, ____________ *(ler)* minha correspondência, ____________ *(responder)* minhas mensagens e ____________ *(navegar)* na internet. Em seguida, ____________ *(sair)* para dar aulas. Por volta das 13 horas, ____________ *(voltar)* para casa, ____________ *(cozinhar)* o almoço e ____________ *(comer)* na cozinha. À tarde ____________ *(preparar)* minhas aulas ou ____________ *(fazer)* um pouco de jardinagem e ____________ *(brincar)* com os gatinhos. À noite ____________ *(sair)* novamente para dar aulas e, quando ____________ *(voltar)*, ____________ *(jantar)* em casa com meu marido. Duas vezes por semana também ____________ *(ter)* aulas de ioga.

Agora reescreva o texto acima no "**Discurso Indireto**".
Exemplo: Ela/ele normalmente acorda...

____

____

____

____

____

____

____

____

____

____

____

____

____

DISCURSO INDIRETO

Leia o texto abaixo e em seguida passe a apresentação de Antônio para o Discurso Indireto. Exemplo: O seu nome/o nome dele é Antônio...

Meu nome é Antônio de Souza e sou um guia de turismo em Salvador, Bahia. Sou formado em Turismo e apaixonado pela história de minha cidade natal e pela cultura de meu povo. A paixão pelo que faço e a tradicional hospitalidade baiana são o diferencial do meu trabalho. Recebo os turistas pessoalmente no aeroporto de Salvador e os levo até o hotel onde se hospedarão. Para mostrar a você, sua família ou amigos a nossa terra da alegria, proponho passeios que vão do clássico roteiro cultural, visitando as principais igrejas e praças, a programas de aventura, como o voo de helicóptero para ver a cidade de cima.

Entre os roteiros culturais, incluo a parte alta da cidade, começando pelo Porto da Barra, a Igreja da Vitória, a Praça do Campo Grande, cenário do Carnaval de Salvador, o Teatro Castro Alves, a Praça do Pelourinho, o Elevador Lacerda, para nomear somente alguns dos pontos turísticos importantes da cidade. Para aprofundar os conhecimentos sobre a nossa cultura e história, acompanho meus turistas para assistir a um autêntico culto de Candomblé, religião trazida para o Brasil pelos escravos africanos à época da Colonização.

Estou à disposição de vocês para mais informações através de e-mail ou por telefone. Não hesitem em me contatar para conhecer a maravilhosa Salvador, um dos ícones culturais do Brasil!

PRESENTE SIMPLES DO INDICATIVO

Conjugue os verbos entre parênteses no Presente do Indicativo

1. A minha vizinha _______________ ***(falar)*** alemão muito bem.
2. João _______________ ***(jogar)*** bola na rua depois das aulas.
3. Nós _______________ ***(estudar)*** português.
4. Ele _______________ ***(trabalhar)*** no centro.
5. Eu _______________ ***(gostar)*** de ler.
6. Mariana não _______________ ***(gostar)*** de passar roupa.
7. Meu irmão _______________ ***(ser)*** médico.
8. Dona Marta _______________ ***(vender)*** flores na feira.
9. Os irmãos _______________ ***(dividir)*** a mesada.
10. Eu _______________ ***(correr)*** todos os dias na praia depois do trabalho.
11. Meu gato sempre _______________ ***(comer)*** a comida do gato do vizinho.
12. Eu _______________ ***(regar)*** minhas plantas todos os dias.
13. Todos os dias ela _______________ ***(cuidar)*** do jardim e das flores.
14. Minha amiga _______________ ***(comprar)*** sempre muitos sapatos.
15. Meus gatos _______________ ***(beber)*** muito leite.
16. Os torcedores do Flamengo _______________ ***(gritar)*** demais no estádio.

17 Ninguém _______________ ***(conhecer)*** a receita da Coca--cola.

18 O frio na Europa _______________ ***(diminuir)*** em março.

19 O Rio de Janeiro _______________ ***(ser)*** uma cidade linda.

20 Todo mundo _______________ ***(gostar)*** da comida daquele restaurante.

Complete as frases com os verbos no Presente do Indicativo

1 Todos os dias eu ***(passear)*** _______________ num jardim perto de casa.

2 Geralmente eu ***(dormir)*** _______________ muito nas férias.

3 Ana ***(sentir)*** _______________ sempre muito frio porque _______________ ***(ter)*** pressão baixa.

4 Eles _______________ ***(adorar)*** ler jornais, eu _______________ ***(preferir)*** ler revistas.

5 Hoje ***(ir)*** _______________ ao cinema com Paulo.

6 Helena ***(sair)*** _______________ todas as tardes.

7 Eu ***(perder)*** _______________ sempre a hora de ir para a escola.

8 Meu cachorro não ***(querer)*** _______________ ir ao veterinário de jeito nenhum!

9 Jorge é fazendeiro: ele ***(possuir)*** _______________ muitas terras no Mato Grosso.

10 Marina e João ***(ler)*** _______________ sempre antes de dormir.

11 As compras não ***(caber)*** ______________ no porta--malas do carro.

12 Os bebês ***(dar)*** ______________ muito trabalho.

13 O meu cachorro ***(odiar)*** ______________ gatos.

14 Ninguém ***(confiar)*** ______________ nela porque ela mente muito.

15 Vocês ***(ver)*** ______________ novela?

16 Nós ***(preferir)*** ______________ levantar cedo quando estamos na fazenda.

17 Os negócios do seu João ***(ir)*** ______________ muito bem.

18 Eu não ***(conseguir)*** ______________ dormir mais de cinco horas por noite.

19 Os pais do Fernando ______________ ***(contribuir)*** todo ano para as obras da igreja.

20 O filho do Pedro ______________ ***(cair)*** toda hora porque é ainda muito pequeno e está começando a caminhar.

Complete o diálogo conjugando os verbos entre parênteses no Presente do Indicativo:

João – Você ______________ ***(estudar)*** português?

Marta – Claro! Eu ______________ ***(estudar)*** e ______________ ***(gostar)*** muito! A professora ______________ ***(ser)*** muito simpática e inteligente e as aulas ______________ ***(ser)*** muito interessantes!

João – E o grupo, como ______________ ***(ser)***?

Marta – O grupo _______________ ***(ser)*** muito alegre. Nós _______________ ***(gostar)*** de fazer caipirinha nos intervalos das aulas e nós sempre _______________ ***(filmar)*** a preparação.

João – Caipirinha durante a aula de português?

Marta – Sim, mas durante a pausa! Depois a gente _______________ ***(pôr)*** o filme na internet!

João – Que interessante! E a turma _______________ ***(ser)*** grande?

Marta – Não. Nós _______________ ***(ser)*** poucos, mas todos muito interessados em aprender o português do Brasil.

João – Do Brasil?! Vocês _______________ ***(aprender)*** português falado no Brasil?

Marta – Pois é. O português do Brasil _______________ ***(ser)*** bem diferente do português de Portugal.

João – E vocês _______________ ***(beber)*** a caipirinha no intervalo?

Marta – Claro que _______________ ***(beber)***! E _______________ ***(comer)*** batatinhas fritas e pipoca.

João – E vocês já _______________ ***(falar)*** bem?

Marta – A gente _______________ ***(falar)*** muito bem, principalmente depois da caipirinha.

João – A caipirinha _______________ ***(ajudar)*** a relaxar, não é?

Marta – Exatamente. Depois da caipirinha nós _______________ ***(ficar)*** relaxados e _______________ ***(começar)*** a falar sem parar.

João – Deve ser divertido... mas vocês _______________ *(aprender)* mesmo bêbados?

Marta – Mas nós não _______________ *(ficar)* bêbados! Que exagero! A gente _______________ *(ficar)* só um pouquinho mais alegre!

Complete o texto com os verbos *(regulares e irregulares)*, preposições ou pronomes possessivos entre parênteses.

Estamos todos nesse momento _______________ ***(em + a)*** _______________ ***(pronome possessivo feminino singular de nós)*** escola para estudar Português. _______________ ***(ser – nós – presente)*** muito interessados em Música Popular Brasileira – MPB – e _______________ ***(adorar – nós – presente)*** ouvir as canções que _______________ ***(pronome possessivo feminino singular de nós)*** professora _______________ ***(trazer – ela –presente)***.

Já _______________ ***(começar – nós – pretérito perfeito)*** a falar e a escrever muito bem o Português _______________ ***(de + o)*** Brasil!

_______________ ***(pedir – nós – pretérito perfeito)*** à diretora _______________ ***(de + a)*** escola para continuar mais um pouco com o _______________ ***(pronome possessivo masculino singular de nós)*** curso. Ela _______________ ***(ficar – ela – pretérito perfeito)*** muito surpresa e contente e _______________ ***(concordar – ela – pretérito perfeito)*** imediatamente! A professora _______________ ***(achar – ela – presente)*** que _______________ ***(ser – nós – presente)*** excelentes alunos! Ela ________________ ***(preparar – ela – pretérito perfeito)*** uma surpresa para a ________________ ***(pronome possessivo feminino singular de nós)*** turma: ________________ ***(artigo indefinido feminino singular)*** apresentação ao final ________________ ***(de + o)*** semestre letivo, ________________ ***(em + o)*** hall/saguão ________________ ***(de + a)*** escola para cantar para todos ________________ ***(artigo definido masculino plural)*** outros alunos, de todos os cursos! Quando ________________ ***(saber – nós – pretérito perfeito)***, não ________________ ***(gostar – nós – pretérito perfeito)*** nada, nada e ________________ ***(dizer – nós – pretérito perfeito)***: "Por favor, querida professora, ________________ ***(preferir – nós – presente)*** uma festa brasileira com caipirinha!

____

____

____

____

____

PRESENTE E PRETÉRITO PERFEITO SIMPLES DO INDICATIVO

Elabore perguntas para conversação, utilizando os seguintes verbos:

FAZER, SABER, QUERER, PODER,
ACHAR (QUE), GOSTAR (DE).

Complete as frases, conjugando os verbos no Presente ou no Pretérito Perfeito Simples do Indicativo:

1 Jurema ________________ ***(dar)*** aulas de português.
2 Ontem Jurema ________________ ***(preparar)*** a aula para seus alunos de português.
3 Marcelo ________________ ***(trabalhar)*** muito todos os dias.
4 Ontem Marcelo ________________ ***(trabalhar)*** o dia inteiro.
5 Cristina ________________ ***(gostar)*** muito das músicas da Zelia Duncan.
6 Ontem Cristina ________________ ***(gostar)*** do show da Zelia Duncan no Rio de Janeiro.
7 Márcia ________________ ***(estar)*** sempre atenta às aulas de português.
8 Ontem Claudia não ________________ ***(vir)*** à aula de matemática.
9 Lia ________________ ***(cantar)*** muito bem, mas Lúcia não ________________ ***(saber)*** cantar.

10 Ontem Lia _______________ ***(cantar)*** a noite toda.

11 Márcia _______________ ***(gostar)*** de cantar no chuveiro. O marido dela não _______________ ***(suportar)*** mais tanta cantoria!!!

12 Ontem nós _______________ ***(ir)*** tomar uma cerveja no bar da praça.

13 Você _______________ ***(precisar)*** estudar mais!

14 Você _______________ ***(fazer)*** a tarefa de casa que a professora _______________ ***(pedir)***?

15 Fernando _______________ ***(adorar)*** o Verão! Ontem ele _______________ ***(ir)*** à praia e _______________ ***(adorar)*** o dia!

16 Ontem eu _______________ ***(fazer)*** as tarefas de casa, mas não _______________ ***(entender)*** muito bem a gramática.

17 Você _______________ ***(gostar)*** de música brasileira? A MPB _______________ ***(ser)*** excelente, não é?

18 Adriana Calcanhoto _______________ ***(ter)*** uma linda voz. Você não _______________ ***(concordar)***?

19 A festa de ontem _______________ ***(ser)*** muito boa! Nós nos _______________ ***(divertir)*** muito.

20 Ontem eu _______________ ***(dançar)*** pela primeira vez com o vizinho.

PRETÉRITO PERFEITO SIMPLES

Conjugue os verbos regulares e irregulares no pretérito perfeito simples:

1 Dou um passeio a pé no parque, perto de casa.

____

2 Eles veem as vantagens e as desvantagens dessa decisão.

____

3 Ele chega do trabalho ao meio-dia.

____

4 Venho para ficar.

____

5 Você sabe arrumar as flores muito bem.

____

Complete as frases livremente.

1 Eu não vou ao trabalho hoje porque ________________

____

2 Maria Clara ensina espanhol e ____________________

____

3 Por que você estuda português? Porque ____________
____

4 Ontem depois da aula ____________________________
____

Complete o texto

O despertador não ____________ ***(tocar)*** hoje de manhã. Eu ______________ ***(notar)*** que já era tarde e ___________ ***(levantar)*** correndo para trabalhar. Eu ____________ ***(tomar)*** banho, ______________ ***(preparar)*** o café e __________ ***(ver)*** que não havia nada em casa para comer. ____________ ***(descer)*** até a padaria mais próxima e ______________ ***(comprar)*** um brioche. ______________ ***(voltar)*** para casa e ________________***(terminar)*** de tomar meu café da manhã. Depois eu ______________ ***(decidir)***: "não vou trabalhar!".

Preencha as frases para completar os diálogos com os verbos no Pretérito Perfeito do Indicativo:

Diálogo 1:

Lúcia – O que você ________________ ***(fazer)*** ontem?
Mariana – Ontem eu ________________ ***(fazer)*** ginástica, depois ________________ ***(ir)*** à praia, ________________ ***(tomar)*** água de coco e à tarde ________________ ***(comprar)*** um presente para minha mãe no shopping.

Lúcia – O que você _______________ *(comprar)* para sua mãe?

Mariana – _______________ *(comprar)* umas sandálias lindas porque é o aniversário dela mês que vem.

Diálogo 2:

Marcelo – Onde você _______________ *(ir)* ontem à noite? Eu _______________ *(telefonar)* várias vezes para o seu celular, mas estava desligado.

Adriana – Ih, desculpa! _______________ *(esquecer)* de deixar o celular ligado. _______________ *(ficar)* em casa e _______________ *(terminar)* de ler um livro de crônicas interessantíssimo.

Marcelo – Que pena que eu não _______________ *(conseguir)* falar com você. Eu _______________ *(ir)* ao cinema perto de casa. E hoje o que você vai fazer?

Adriana – Por enquanto não tenho nada combinado.

Marcelo – Vamos tomar um chopinho mais tarde?

Adriana – Vamos, sim!

Complete as frases com os verbos no Pretérito Perfeito do Indicativo:

1 Você _______________ *(cantar)* com o coro da igreja?

2 Eu e meus amigos _______________ *(beber)* muita caipirinha na festa do José.

3 Ontem ela ____________ ***(partir)*** para Manaus sem se despedir de mim.

4 Na semana passada Luís e José ____________ ***(cuidar)*** da sua mãe que ____________ ***(estar)*** muito doente.

5 Por que você ____________ ***(sair)*** para ler no jardim ontem à noite?

6 Eu e Luís ____________ ***(cair)*** da bicicleta porque a rua está muito esburacada e lamacenta.

7 Ontem ele ____________ ***(cobrir)*** de flores a sua namorada pelo dia dos namorados.

8 Domingo eles ____________ ***(comer)*** uma pizza muito boa na pizzaria nova, na esquina.

9 Durante o passeio, eles ____________ ***(falar)*** com um turista peruano e não ____________ ***(entender)*** nada.

10 Ela ____________ ***(fazer)*** uma tradução de uma poesia italiana para a turma.

11 Em dezembro ela ____________ ***(ir)*** dormir na casa da sua avó.

12 Meu amigo _________ ***(ler)*** todos os livros de Jorge Amado.

13 Na Argentina eles ______________ ***(beber)*** um vinho tinto muito bom.

14 Luís ______________ ***(partir)*** sem pagar a conta do hotel.

15 Durante as minhas férias eu ______________ ***(cair)*** e ______________ ***(quebrar)*** o braço.

16 Na Itália eu ________________ ***(comer)*** polenta pela primeira vez.

17 Ele ______________ ***(dar)*** um doce a meu filho.

18 Por que ela ________________ ***(dizer)*** que não vem ao concerto?

19 Elas ______________ ***(falar)*** sem parar por toda a viagem.

20 Marcos e Juliana ______________ ***(fazer)*** um relatório sobre seu curso de geografia.

21 Em Paris nós ____________ ***(visitar)*** o museu do Louvre.

22 Onde você ______________ ***(pôr)*** meu copo de vinho ? Eu ______________ ***(esquecer)***.

23 Na viagem a Porto elas ______________ ***(ter)*** uma guia muito gentil e preparada.

24 Quando o palhaço _____________ ***(cair)*** nós _____________ ***(rir)*** muito.

25 Luís _____________ ***(saber)*** que você ontem _____________ ***(estar)*** no Rio de Janeiro.

____

____

____

____

____

PRETÉRITO PERFEITO SIMPLES DO INDICATIVO

Complete o diálogo abaixo conjugando os verbos entre parênteses no Pretérito Simples do Indicativo:

Elvira e Amanda são duas guias de turismo na cidade de Holambra, estado de São Paulo, e estão acompanhando seus respectivos grupos de turistas quando se encontram pela rua, depois de muito tempo que não se viam.

Elvira – ... agora vamos seguindo por essa rua, por favor fiquem todos juntos... não acredito! Amanda! Amandinha, há quanto tempo!

Amanda – Minha querida! Há séculos que eu não te vejo! ______________ ***(eu – achar)*** que você nem trabalhava mais na cidade!

Elvira – Imagina! Eu adoro essa cidade, venho sempre pra cá. Andei levando uns grupos para outras cidades, mas eu gosto mesmo é de trabalhar aqui.

Amanda – Menina, seu cabelo está lindo! Amei esse novo corte! Ficou muito bem em você.

Elvira – É o Marcos, aquele cabeleireiro da esquina! Ele é excelente, me ______________ ***(eu – dar)*** muito bem com ele e não quero mais mudar de cabeleireiro.

Turista 1 – Desculpem, mas não estamos nos atrasando um pouco?...

Turista 2 – Por favor, Elvira, você ______________ ***(dizer)*** que ia nos indicar onde podemos ir ao banheiro.

Elvira – Só um minuto, dona Marta, já estou indo.

Amanda – Mas é muito caro?

Elvira – O quê?

Amanda – O corte nesse seu cabeleireiro. Quanto ele _____________ ***(cobrar)***?

Elvira – Que nada! Ele sempre me _____________ ***(dar)*** descontos. Por exemplo, na última vez que _____________ ***(eu – estar)*** lá, na semana passada, eu _____________ ***(pagar)***...

Turista 3 – Posso me sentar ali na praça? Estou com os pés doendo.

Amanda – Eu preciso urgentemente mudar esse corte de cabelo. Estou me sentindo péssima, preciso de uma mudança urgente na minha vida.

Elvira – Por que, amiga? _____________ ***(acontecer)*** alguma coisa?...

Turista 4 – O parque não vai fechar? Assim não vamos ver nem as flores nem a chuva de pétalas!

Amanda – Só mais um minuto, meu senhor, um pouquinho de paciência. Esperem todos juntos aqui.

Turista 1 – Vocês não acham que estão exagerando um pouco? Isso lá é hora de conversar! Em pleno passeio com os turistas! Eu vou reclamar com a agência...

Turista 2 – Nunca vi isso em toda minha vida! E olha que viajo sempre em excursões!

Turista 3 – _____________ ***(eu – comprar)*** essa excursão para ver a cidade das flores... dizem que tem cada flor mais linda que a outra... inclusive tulipas!... e acabo vendo duas maricotinhas conversando...

Amanda – Não _____________ *(acontecer)* nada de grave, mas ando muito desanimada nos últimos meses... não sei...

Turista 4 – Tulipas? A gente vai ver tulipas?

Turista 1 – Ninguém lhe _____________ *(falar)*? Holambra é considerada a Holanda dos trópicos!

Elvira – Amandinha, se você quiser eu posso ir com você até o cabeleireiro um dia desses, assim você conhece o Marcos e troca umas ideias com ele.

Amanda – Isso! Vai ser ótimo! Assim quem sabe ele não me dá um descontinho, né?

Elvira – Estou achando que vai ser bom pra você. Uma boa mudança começa por um corte novo, mas... você está saindo com alguém?

Turista 1 – Meu Deus! Isso é surreal... quanto tempo nós ainda temos que esperar aqui?

Elvira – Já estamos indo.

Amanda – Estou sozinha desde que me _____________ *(separar)* do Augusto. Você _____________ *(saber)*, né?

Elvira – _____________ *(eu – saber)*, sim. Uma pena... mas você agora precisa pensar em encontrar alguém...

Turista 2 – Com licença, eu preciso ir ao banheiro com uma certa urgência.

Turista 3 – Eu estou começando a ficar com fome...

Turista 4 – E eu estou começando a perder a paciência. Vou escrever para a operadora de turismo que me _____________ *(vender)* esse pacote... isso não é possível!

Amanda – Meu senhor, dá pra esperar quieto um minuto??? Um minuto! Só peço um minuto da paciência de vocês! Será que ninguém pode ter paciência aqui?

Elvira – Calma, Amandinha amada... procure ficar calma...

Amanda – A gente acorda cedo todos os dias e passa o dia inteiro aturando os fricotes de vocês com um sorriso, um quer ir ao banheiro, o outro não quer caminhar... vocês não podem esperar um minuto que já começam a dar ataque? Uma mulher não pode se separar? Não pode se sentir feia? Não tem o direito de querer um pouco de mudança... um corte de cabelo, meu Deus do céu, eu só estou querendo um novo corte de cabelo!

Turista 1 – Iiiihhh... essa aí ______________ ***(surtar)***!

Turista 2 – Melhor esperar passar o surto... já estamos atrasados mesmo...

Elvira – Amanda, pelo amor de Deus, calma, quer um copo d'água?

Amanda – Não, já passou... foi só um momento... desculpem... já estou melhor.

Turista 3 – Calma, minha filha, você é tão bonita... essas coisas de separação são assim mesmo, mas você vai ver que com o tempo tudo se resolve. Precisa ter fé em Deus que vai passar.

Amanda – Eu preciso de um corte de cabelo novo...

Turista 4 – Xiiii______________ ***(juntar)*** um monte de gente em volta... tá parecendo circo.

Policial – O que está acontecendo aqui? Vocês estão fechando o cruzamento!

Turista 1 – A moça precisa de um corte novo...

Turista 2 – E eu preciso ir ao banheiro.

Policial – Amanda? Há quanto tempo... como você está? Eu ______________ ***(saber)*** que você ______________ ***(deixar)*** o Augusto, é verdade?

Turista 3 – Pronto! Agora é que a gente não sai mais daqui.

Amanda – Claudinho! Desde quando você ______________ ***(entrar)*** para a Polícia?

Turista 4 – Mas e as flores? A gente não ia ver as flores?

Continue o diálogo

Criatividade e Expressão

O Baile de Carnaval

Ela entrou em casa e viu que sua mãe ainda costurava a sua fantasia de Carnaval, dobrada sobre o pano colorido, num canto do sofá.

– Mãe, arriscou, a senhora ainda não terminou? Assim vou me atrasar para o baile...

Não quis falar mais nada, sentia pena de ver a mãe assim tão curvadinha, com olheiras de quem não tinha dormido... tudo por uma fantasia.

– Já estou quase terminando, Ana. Só faltam uns ajustes e vai ficar tudo prontinho pra você sair hoje à noite. Já jantou?

A mãe nem despregava os olhos da costura, mas se ela quisesse, o jantar estava nas panelas, ainda no fogão. Era só dar uma esquentadinha...

– Não precisa se incomodar, não, mãe. Comi alguma coisa no serviço e estou sem fome.

Foi para o quarto, largou ali a bolsa, se aproximou da penteadeira. Olhou e se achou feia. Pegou o pente e tentou dar um jeito nos cabelos, mas acabou por se irritar mais ainda. Melhor era tomar um banho enquanto esperava os últimos retoques na fantasia. Passou do quarto para o banheiro com a toalha na mão.

– Mãe, vou tomar um banho. Quando a senhora terminar, deixe a fantasia em cima da cama.

– Tá prontinha, Ana. Mais dois minutos e eu deixo em cima da cama, vai ficar uma beleza.

Saiu do banho e encontrou a fantasia no seu quarto. Linda, como dizia a mãe. Vestiu contente e começou a exagerar na maquiagem. Deolindo ia se vestir de Pierrô... e ela... ela seria a mais linda das colombinas.

– E então, Ana? Como ficou? – era a mãe que entrava no quarto para espiar. – Ai que ficou uma maravilha!

Pegou uns alfinetes e começou a endireitar aqui e ali.

– Mãe, tá bom! Chega, mãe, senão não vai dar tempo. Eu vou me atrasar!

Continue o texto.

____

____

____

____

____

PRETÉRITO IMPERFEITO DO INDICATIVO

Escolha a opção adequada.

1 Quanto mais ela pedia para ele parar de correr mais ele ______________ no acelerador.

a) pisou

b) pisava

c) pisará

2 Toda vez ***(ou todas as vezes)*** que eles se encontravam na feira ______________ tomar o café da manhã lá.

a) decidiam

b) decidiram

c) decidem

3 Quanto mais eles pediam silêncio mais a multidão enfurecida ______________.

a) gritara

b) gritava

c) gritaria

4 Quando Camilinha ______________ pequena as férias passavam muito rapidamente.

a) fora

b) seria

c) era

5 Quando ainda era jovem o poeta Fernando pessoa _____________ na África do Sul.

a) mora

b) morava

c) moraria

6 Nos dias em que o Fluminense ganhava eles _____________ depois do jogo.

a) comemorariam

b) comemoravam

c) vão comemorar

Conjugue os seguintes verbos na 2ª pessoa do plural *(vocês)* do Pretérito Imperfeito do Indicativo:

fazer – ______________________________

conhecer – ______________________________

prometer – ______________________________

medir – ______________________________

esquecer – ______________________________

estudar – ______________________________

convidar – ______________________________

escolher – ______________________________

entrar – ______________________________

sair – ______________________________

Conjugue os seguintes verbos na 1ª *(nós)* do plural e na 3ª *(ele/ela)* pessoas do singular do Pretérito Imperfeito do Indicativo:

repetir - ______________________________

parecer - ______________________________

fazer - ______________________________

escrever - ______________________________

sonhar- ______________________________

pedir - ______________________________

ler - ______________________________

observar - ______________________________

caminhar - ______________________________

merecer - ______________________________

dormir - ______________________________

Escolha um dos verbos acima e faça uma frase com ele na 1ª pessoa do singular *(eu)* do Pretérito Imperfeito do Indicativo.

____

____

____

Complete as frases com os verbos no Pretérito Imperfeito do Indicativo:

1 Nossa pousada em Angra dos Reis ______________ ***(ficar)*** de frente para o mar.

2 O cronista João do Rio ____________ ***(percorrer)*** as ruas do Rio de Janeiro no início do século XX, captando a atmosfera da cidade e a alma dos personagens urbanos.

3 Quando era jovem, ele ____________ ***(escrever)*** alguns versos, mas nunca os publicou.

4 Minha bisavó ____________ ***(ser)*** costureira em Portugal.

5 Pedro ____________ ***(ensinar)*** português para os alemães quando ____________ ***(morar)*** em Berlim.

6 Paulo sempre ____________ ***(ir)*** a pé para o curso de inglês.

7 Joana ____________ ***(correr)*** na praia de Ipanema todos os fins de tarde, depois que ____________ ***(sair)*** do escritório.

8 Julia sempre ____________ ***(vir)*** para casa a pé, depois da escola.

9 Os exercícios que nós ____________ ***(fazer)*** durante as aulas ____________ ***(ser)*** ótimos para fixar as regras gramaticais.

10 Meus pais raramente me ____________ ***(deixar)*** de castigo.

11 Depois das aulas de Filosofia, a gente sempre ______________ ***(tomar)*** cerveja na frente da Faculdade.

12 Em 1922, durante a Semana de Arte Moderna em São Paulo, ______________ ***(surgir)*** muitos nomes importantes para o Modernismo brasileiro.

13 Eles ______________ ***(ir)*** a Brasília com muita frequência até o ano passado.

14 Muitos imigrantes italianos no final do século XIX ______________ ***(colher)*** café nas fazendas do Vale do Paraíba.

15 Até 1888 a maioria dos fazendeiros brasileiros ______________ ***(ter)*** escravos.

Complete as frases livremente com os verbos no Pretérito Imperfeito do Indicativo:

1 Sábado passado Reginaldo ia ao jogo de futebol no Maracanã, mas ____

____

2 Regina preferia ler à noite, antes de dormir, mas agora ela

____

3 Eles gostavam de passear no Parque do Ibirapuera quando ____________________________

____

4 Nossos pais costumavam viajar nos fins de semana para a serra e ____________________________

____

5 Carlos fazia seus deveres de casa da escola __________

____

6 Minha avó gostava de ____________________________

____

7 Nós passávamos as férias ____________________________

____

8 Lúcia ouvia seu programa preferido na rádio naquela manhã quando ____________________________

____

9 Marcos e Bernardo não queriam estudar naquele sábado porque ____________________________

____

10 Todos nós dizíamos que ____________________________

____

11 Todas as vezes que ouvíamos aquele som ____________
____

12 Quando o despertador tocava às 7 horas da manhã _____
____

Preencha as frases dos diálogos com os verbos no Pretérito Imperfeito do Indicativo:

Diálogo 1:

João – Quando eu ________________ ***(ser)*** criança, eu ________________ ***(gostar)*** muito de correr na praia com o meu cachorro.

Maria – Eu _____________ ***(detestar)*** correr quando _____________ ***(ser)*** pequena porque me _____________ ***(cansar)*** muito facilmente. Depois o médico descobriu que eu _____________ ***(ter)*** anemia, por isso me _____________ ***(sentir)*** sempre cansada depois de correr.

Diálogo 2:

Ana – Quando você ______________ ***(ter)*** oito anos, que escola você ______________ ***(frequentar)***?

Pedro – Eu __________________ ***(estudar)*** numa escola perto da minha casa. Eu _________________ ***(adorar)*** principalmente as aulas de Matemática e Ciências e, é claro, a hora do recreio!

Ana – E das aulas de português? Você não
______________ *(gostar)*?

Pedro – Não muito. Eu não ______________ *(tirar)*
boas notas nas provas e não ____________________
(conseguir) aprender gramática.

Ana – Mas hoje em dia você é um jornalista!

Pedro – É verdade, mas naquela época eu ainda não
______________ *(saber)* o que ia ser.

Diálogo 3:

Roberta – Durante toda a minha adolescência eu
________________ *(costumar)* ir ao cinema.

Marisa – Que tipo de filme você ____________ *(ver)*?

Roberta – Todos os filmes brasileiros que
____________________ *(passar)* naquele cinema
alternativo.

Marisa – Humm... eu nunca ______________ *(escolher)* os
filmes nacionais no jornal: ______________ *(preferir)*
assistir a filmes americanos de comédia bem leve.

Criatividade e Expressão

"Todas as manhãs, muito cedo, ele pegava a condução que o levava para o trabalho. Era um dos primeiros a chegar no ponto de ônibus, onde as mesmas pessoas pouco a pouco começavam a aparecer."

Continue o texto.

PRESENTE SIMPLES, PRETÉRITO PERFEITO SIMPLES E PRETÉRITO IMPERFEITO DO INDICATIVO

Complete os diálogos com os verbos no tempo do modo indicativo indicado entre parênteses:

Carlos:– Você ________________ ***(querer – presente)*** ir ao cinema hoje à noite?
Regina – Não. Eu ______________ ***(preferir – presente)*** ir ao teatro.
Carlos – Tá bom. Então o que você _____________ ***(achar – presente)*** da peça sobre a vida de Verdi?
Regina – Péssima ideia! Nossa! Você _____________ ***(andar – presente)*** muito sem imaginação ultimamente!...

José – O que você _________________ ***(achar – pretérito perfeito simples)*** da peça de ontem?
Helena – ______________________ ***(achar – pretérito perfeito simples)*** horrível.
José – Você ____________________ ***(viver – presente)*** de mau humor, hein?! Que horror!
Helena – Você ____________________ ***(pedir – pretérito perfeito simples)*** minha opinião e eu ____________________ ***(dar – pretérito perfeito simples)***! Ora essa!... os atores ____________ ***(ser – pretérito imperfeito do indicativo)*** péssimos, o texto _______________ ***(ser – pretérito imperfeito do Indicativo)*** fraco... por isso o teatro

________________________ ***(estar – pretérito imperfeito do Indicativo)*** vazio!

Laura – Você ________________________ ***(telefonar – pretérito perfeito simples)*** para a Maria hoje de manhã?
Fernando – Ih! ____________________________________ ***(esquecer-se – pretérito perfeito simples)***!
____ ***(telefonar – futuro com verbo ir)*** agora!
Laura – Você ______________________ ***(lembrar – pretérito perfeito simples)*** de comprar as cervejas?
Fernando – ______________________ ***(lembrar – pretérito perfeito simples)***. As cervejas já ____________________ ***(estar – presente)*** na geladeira.
Laura – Disso você não ________________________ ***(esquecer – presente)*** nunca, não é?

Amélia – Ana e Paulo, vocês ________________________ ***(ir – pretérito perfeito simples)*** à festa do João sábado passado?
João – ________________________ ***(ir – nós – pretérito perfeito simples)***, mas não ___________________ ***(gostar – nós – pretérito perfeito simples)***.

____

____

____

____

____

PRESENTE CONTÍNUO

Complete as frases conjugando os verbos entre parênteses no Presente Contínuo do Indicativo, como no exemplo:

Patrícia _______________ *(comer)* um bolo de chocolate.
Patrícia está comendo um bolo de chocolate.

1 Ele _______________ ***(ler)*** um romance de Jorge Amado.

2 Esta canção que você _______________ ***(cantar)*** é simplesmente linda!

3 Minha mãe e sua amiga _______________ ***(passar)*** as férias no México.

4 Elas _______________ ***(comer)*** o bolo de chocolate que Dona Rosa fez.

5 Eu _______________ ***(falar)***, mas você parece não entender nada.

6 Agora nós _______________ ***(fazer)*** os exercícios para a aula de português.

7 Ela _______________ ***(ir)*** ver uma mostra de arte contemporânea no museu.

8 Por que você _____________ ***(ler)*** esse livro?

9 Vocês _____________ ***(mentir)*** sobre o que aconteceu ontem no barzinho.

10 João e Alexandre _____________ ***(ver)*** um programa na televisão.

11 Ele _____________ ***(insistir)*** muito naquele assunto.

12 Nós ________ ***(perder)*** tempo, vamos chegar atrasados.

13 Vocês _____________ ***(precisar)*** de uma ducha urgentemente!

14 Sofia _____________ ***(querer)*** se casar até o fim do ano.

15 Ela ainda _____________ ***(rir)*** da piada que eu contei.

16 É verdade que você _________ ***(aprender)*** a tocar violão?

17 Você _____________ ***(ficar)*** vermelho! Será que sua pressão subiu?

18 Marta ___________ ***(pensar)*** em comprar um carro novo.

19 Luisa _____________ ***(decidir)*** o que fazer em relação ao seu emprego.

Complete as frases conjugando os verbos entre parênteses no Presente Contínuo do Indicativo, como no exemplo:

Paulo ______________ *(morar)* em São Paulo desde o ano passado.
Paulo está morando em São Paulo desde o ano passado.

1 Eu ______________ ***(abrir)*** a janela do meu quarto para deixar entrar um pouco de sol.

2 As trovoadas ______________ ***(cessar)*** e nós ______________ ***(ir)*** à praia.

3 Maria e Paulo __________ ***(achar)*** difícil aprender alemão.

4 Só agora eles ______________ ***(acordar)*** depois de ter dormido muito.

5 Eu ______________ ***(tomar)*** um chope, você quer?

6 Carla ______________ ***(jogar)*** o lixo fora.

7 Eu não ______________ ***(brigar)*** com você, estou só explicando o que penso.

8 Eles ______________ ***(cansar)*** todo mundo com suas bobagens.

9 Que música é essa que você ______________ ***(cantar)***? Não conheço...

10 Meus amigos ______________ ***(chegar)*** da praia.

11 Helena e Luíza ______________ ***(combinar)*** com os namorados de ir a Minas Gerais no próximo inverno.

12 Agora eu ______________ ***(almoçar)***, mais tarde falo com você.

13 Eles ______________ ***(começar)*** um curso de fotografia na semana que vem.

14 Todos os alunos ______________ ***(compartilhar)*** as experiências do estágio.

15 Eu ______________ ***(comprar)*** um carro novo.

Complete as frases conjugando os verbos entre parênteses no Presente Contínuo do Indicativo, como no exemplo:

O Diretor ______________ *(escolher)* seu novo estagiário.
O Diretor está escolhendo seu novo estagiário.

1 Eu ______________ ***(acordar)*** todo mundo com esse trompete.

2 O que você _______________ ***(querer)*** me dizer?

3 Pode entrar! A porta está aberta e eu não _______________ ***(dormir)***.

4 Maria _______________ ***(fazer)*** a sua mala porque _______________ ***(viajar)*** para Porto Alegre amanhã.

5 Renato _______________ ***(arrumar)*** seu quarto.

6 Nós não _______________ ***(falar)*** da mesma coisa!

7 Eles _______________ ***(fazer)*** um cruzeiro pelo Nordeste do Brasil.

8 Você _______________ ***(falar)*** sério?

9 Por que você _______________ ***(gritar)***?

10 Você _______________ ***(ir)*** para a piscina agora?

11 O que você _______________ ***(olhar)*** com o binóculo?

12 Luis _______________ ***(trocar)*** de emprego.

13 Ele _______________ ***(mentir)*** descaradamente! Não foi isso o que aconteceu.

14 Nós ______________ ***(perder)*** tempo sem concluir nada.

15 Você ______________ ***(precisar)*** dormir um pouco, me parece muito cansado.

Complete as frases livremente:

Paulo e Marta estão pesquisando ______________________

____

Eu estou ouvindo pela primeira vez ______________________

____

Você está vendo aquele homem ali? Ele ________________

____

Por que vocês estão levando tanto tempo para __________

____

Estou precisando ______________________________
porque ____________________________________

Ele está pedindo dinheiro a seu pai para ________________

____

Estou levando ________________________________

____

Eu não estou conseguindo lembrar onde ________________
____

Nós estamos rindo até agora porque ________________
____

Da janela estou vendo ________________________
____

Em breve estamos chegando ____________________
____

Ela está adorando ___________________________
____

Você está ouvindo ___________________________
____ ?

O que você está achando do ___________________
____ ?

Por que você está levando tanto tempo para _______
____ ?

Marta está te procurando para _________________
____

Eles estão discutindo ______________________________
____

Semana que vem estamos indo ____________________
____

Não estou acreditando que ______________________
____!

Ele está falando o tempo todo que _______________
____

Complete o diálogo abaixo conjugando os verbos entre parênteses no Presente Contínuo do Indicativo.

Uma equipe de cinema está numa praia, em Parnaíba, Piauí, e decide comprar coco com um vendedor e seu burrico.

Marta – Que praia linda, né? Mas que calor está fazendo! Vamos tomar uma água de coco?

Leonardo – Vamos. Olha o moço do coco lá! Ih... mas ele ______________ ***(puxar)*** um burro...

Marta – Ai, tadinho do bicho... não gosto de ver animal trabalhando.

Leonardo – É, nem eu, mas é o único jeito, ou a gente chama o vendedor ou não toma água de coco. Moço, quanto é o coco?

Vendedor – Bom dia! São cinco reais.

Leonardo – Eu quero dois, por favor. Tá geladinho?
Vendedor – Tá, sim, senhor.
Marta – Esse burrinho é seu, moço?
Vendedor – É, sim, senhora. É o Juvenal, tá comigo desde que nasceu.
Marta – Mas você não tem pena de trazer o burrico pra praia? Nesse calor... parece que ele _______________ ***(morrer)*** de calor!...
Vendedor – Ele está acostumado. Vocês são turistas?
Leonardo – Na verdade _______________ ***(nós – trabalhar)*** aqui em Parnaíba esse mês.
Marta – Nós _______________ ***(gravar)*** um filme.
Vendedor – Aaahh! Vocês são o pessoal do cinema, é?
Leonardo – Somos. A equipe é bem grande, mas hoje alguns de nós _______________ ***(descansar)*** no hotel. Nós dois decidimos dar um mergulho.
Vendedor – E vocês _______________ ***(gostar)*** da cidade?
Marta – Muito! A cidade é linda. Mas o Juvenal não está cansado, não? Ele parece que _______________ ***(suar)***.
Vendedor – Tá, não. Juvenal é meu companheiro de batalha. Sem ele eu não vou pra lugar nenhum.
Marta – Mas você trata bem ele? Cuida dele quando chega em casa? Ele descansa?
Vendedor – Descansa, sim, senhora. Juvenal lá em casa é rei.
Leonardo – Você nasceu aqui mesmo?
Vendedor – Nasci não, senhor. Sou de Buriti dos Lopes, mas vim pra cá criança pra trabalhar. Cidade de praia é melhor pra trabalhar, né?

Leonardo – Nós ______________ *(adorar)* essa temporada aqui. A cidade é linda e as pessoas são maravilhosas.

Marta – Só não gosto muito é de ver animal trabalhando...

Leonardo – Marta, chega. Ele já disse que o burrico é bem tratado.

Vendedor – É bem tratado, sim. Não falta nada pro Juvenal, não.

Leonardo – Amanhã de manhã nós vamos fazer umas filmagens na praça. Por que você não vem ver?

Vendedor – É, pode ser. Amanhã antes de vir pra cá eu posso passar lá pra ver.

Marta – Vem, sim! E traz o Juvenal.

Vendedor – Ah, sim. Onde eu vou o Juvenal vai também.

Leonardo – Como é o seu nome?

Vendedor – É Joventino.

Marta – A gente espera você amanhã, Joventino.

Vendedor – Tá bom. Até amanhã e boa praia pra vocês!

Leonardo – Tchau! Até amanhã!

Marta – Lá vai ele... Joventino e seu burrico Juvenal... tadinho do bichinho...

Leonardo – Ai, Marta, não recomeça. Vamos dar um mergulho. Amanhã você vê de novo o Juvenal.

Marta – Vamos! O mar está mansinho. ______________ *(Eu – amar)* isso aqui!

PASSADO CONTÍNUO

Complete as frases conjugando os verbos entre parênteses no Passado Contínuo do Indicativo, como no exemplo:

O Diretor ______________ *(falar)* com seu novo estagiário.
O Diretor estava falando com seu novo estagiário.

1 Você ______________ ***(cantar)*** a mesma música que eu ______________ ***(ouvir)*** no rádio.

2 Eles ______________ ***(beber)*** cachaça e estavam muito alegres.

3 Ana ___________ ***(ir)*** para Curitiba, mas o avião atrasou.

4 Quando começou a chover eu ______________ ***(combinar)*** de ir à praia com o Paulinho.

5 Luis perdeu o equilíbrio e ______________ ***(cair)*** mas Pedro o ajudou em tempo.

6 Eu ______________ ***(arrumar)*** os livros na estante quando levei um tombo da escada.

7 Ela olhou as flores da janela e pensou que a primavera ______________ ***(chegar)***.

8 Cida _______________ ***(comer)*** um abacaxi quando começou a sentir dor de estômago.

9 Os atores _______________ ***(começar)*** a ensaiar quando o diretor chegou apressado.

10 Eu não _______________ ***(acreditar)*** no que _______________ ***(ver)***.

11 Quando nós chegamos para assistir ao jogo da Copa do Mundo, Luis _______________ ***(olhar)*** o mapa do Rio de Janeiro para ver onde fica o estádio do Maracanã.

12 Eu _______________ ***(achar)*** aquela história muito maluca.

13 Maria e Pedro ainda _______________ ***(tomar)*** café da manhã quando o táxi chegou.

14 Houve a maior confusão na fazenda porque o proprietário das terras _______________ ***(despedir)*** quase todos os funcionários.

15 Não fique chateado! Ninguém _______________ ***(duvidar)*** de você!

Una a coluna da esquerda à da direita para completar os diálogos.

1. O que você estava fazendo? **2.** Estávamos pensando em organizar um "bota-fora" para o Pedro, que vai passar uns meses no Chile. **3.** Com quem ela estava conversando? **4.** Desculpe... o que tu estavas dizendo? **5.** Eu soube que vocês estavam programando uma viagem ao Pantanal.	**a.** Com uma colega do curso. Elas estavam combinando de festejar o aniversário do professor. **b.** Um bolo, que agora está no forno. **c.** Eu estava falando da má qualidade de alguns programas de televisão. **d.** É verdade. Você gostaria de vir com a gente? **e.** Ótima ideia! Vamos ao mercadinho comprar refrigerantes e salgadinhos.

Complete livremente as frases no Passado Contínuo do Indicativo usando o Pretérito Perfeito do Indicativo, como no exemplo:

Eu estava construindo um castelo de areia quando a maré subiu e o mar destruiu tudo.

1 Miriam estava estudando com seu irmão quando_______

____

2 Os alunos estavam atentos à aula de francês quando de repente __________________________

____

3 Ele estava nadando em alto-mar quando ______________

____

4 Nós estávamos rindo enquanto assistíamos à novela e então ______________________________

____

5 Eu estava escolhendo um presente para o aniversário da minha amiga quando ______________________

____

6 Eu estava guardando aquela cachaça para um dia especial, mas ______________________________

____

7 O dia estava começando muito bem, com um lindo céu azul quando ______________________________

____

8 Ela estava lendo um romance de Jorge Amado e ________

____

9 Eles estavam ouvindo com atenção o discurso do político quando de repente ______________________

____

10 Ontem eu estava lembrando daquele dia que __________

____

11 Por que a mãe da Marisa estava brigando com ela?
Porque ____
____

12 Quando começou a chover forte eu estava ______________
____

____
____
____
____
____

PRONOMES DEMONSTRATIVOS

Complete com o Pronome Demonstrativo adequado
esse(s), essa(s), aquele(s), aquela(s), isso, aquilo.

1 _______________ menina é a filha da Maria e do João?

2 _______________ livro que está lá na estante é seu?

3 _______________ é um verdadeiro absurdo!!!

4 _______________ músicos são os melhores do Conservatório.

5 _______________ flauta é doce e _______________ é transversa.

6 O que é _______________ lá na esquina? É uma bicicleta quebrada.

7 _______________ vinho que você trouxe é excelente! Obrigada!

8 _______________ casa que você vê na fotografia é dos meus avós.

9 _______________ óculos são novos e custaram muito caro.

10 O que é _______________ no seu cabelo? Você fez mechas?

11 _______________ mechas que você fez no cabelo são horríveis!

12 _______________ exercícios servem para melhorar a compreensão da gramática do português contemporâneo.

13 _______________ músicas que nós ouvimos nos ajudam a adquirir novas palavras para o nosso vocabulário.

14 _______________ havaianas são o último modelo desse verão.

15 _______________ termômetro deve estar quebrado!

16 _______________ texto é muito complicado.

17 Foi você que fez _______________ bolo? Está uma delícia! Parabéns!

18 _______________ que você está dizendo não é absolutamente verdade.

19 _______________ azeite que você pôs na salada é italiano?

Complete o diálogo com *esse, essa, essas, aquele* e *isso*.

O PRIMO E O PADRE

Marília – Quem é ______________ pedaço de mau caminho ali na frente da igreja?

Lucinha – É o primo do Flavio, não conhece?

Marília – Não, mas acho que hoje vou à missa.

Lucinha – O que é ______________ ? Ficou doida? Você nem é católica!

Marília – Eu sei. Só estou querendo realizar ______________ meu velho sonho de me casar antes dos 30!

Lucinha – Você não acha que ______________ história de casar jovem já era?

Marília – Pode ser. Mas ______________ sociedade aqui não perdoa se você não se casa cedo.

Lucinha – Você não devia ligar para o que ______________ fofoqueiras falam.

Marília – E ______________ outro bonitão ali é que é o padre?

Lucinha – É. E agora? Vai casar ou vai virar perpétua?

____

____

____

____

____

CRIATIVIDADE E EXPRESSÃO – DIÁLOGO

Preencha as lacunas com o Pronome Demonstrativo adequado e continue o diálogo

NO RESTAURANTE

João e a esposa, Luana, vão ao restaurante. Lá, ele encontra um velho colega de escola.

João – Luana, o que você acha _______________ ***(de + pronome demonstrativo)*** mesa ali no cantinho?

Luana – Mas você não disse que tinha reservado uma mesa pra nós?

João – Pois então. Reservei _______________ ***(pronome demonstrativo)*** ali. Está bom?

Luana – Está ótimo. É perto da janela e hoje a noite está linda.

João – Olha! Mas _______________ ***(pronome demonstrativo)*** ali é o Carlinhos, um velho colega meu de escola.

Luana – Qual?

João – _______________ ***(pronome demonstrativo)*** ali que está trabalhando como garçom. Mas... não sabia que ele trabalhava como garçom aqui _______________ ***(em + pronome demonstrativo)*** restaurante... Olá, Carlinhos!

Carlinhos – Oi! Como vai, João? Há quanto tempo!

João – É verdade! _______________ ***(pronome demonstrativo)*** é minha esposa, Luana.

Carlinhos – Muito prazer!

Luana – O prazer é todo meu.

João – Há quanto tempo você trabalha aqui?

Carlinhos – Há uns dois meses. Sabe como é... tempos de crise, eu estava desempregado e não arranjava trabalho em lugar nenhum!

João – É verdade, _______________ ***(pronome demonstrativo)*** crise está demorando a passar.

Carlinhos – Mas onde vocês gostariam de sentar?

João – Eu reservei _______________ ***(pronome demonstrativo)*** mesa ali do canto, perto da janela.

Carlinhos – Perfeito, então, por favor, fiquem à vontade. Vou trazer o cardápio. Enquanto isso, gostariam de beber alguma coisa?

João – Eu queria ver a carta de vinhos, por favor.

Carlinhos – Claro, trago num instante.

Luana – Carlinhos, onde fica o banheiro?

Carlinhos – É logo ali à esquerda.

Luana – Obrigada.

João – O que você nos aconselha, Carlinhos?

Carlinhos – O salmão com molho de ervas aqui é ótimo.

João – É... parece uma boa ideia. Vou ver o que Luana acha quando ela voltar.

Carlinhos – Perfeito. Enquanto isso vou buscar o cardápio e a carta de vinhos. Vocês têm filhos?

João – Sim, três. Uma moça e dois rapazes, gêmeos.

Agora é com você. Continue o diálogo.

TUDO OU TODO?

Complete as frases a seguir com *tudo*, *todo*, *toda*, *todos*, ou *todas*.

1 Eu comi o bolo ______________ . Estava delicioso!

2 Ontem nós estudamos à tarde ______________ porque temos prova amanhã.

3 Carlos contou ______________ os recibos; estava ______________ em ordem.

4 ___________ as caixas estavam abertas, mas __________ os objetos estavam ali, nada havia sido retirado.

5 Permaneci ainda alguns momentos pensando em ______________ o que tinha acontecido.

6 Resolvi falar ______________ o que pensava.

7 ______________ os dias ele caminha para espairecer.

8 Ele vai de bicicleta para o trabalho ______________ as manhãs.

9 ______________ o jardim está coberto de flores! Uma maravilha!

10 _______________ nós ficamos com medo, afinal _______________ poderia acontecer.

11 Ela precisa saber de _______________ a verdade, você vai ter que lhe contar _______________

12 _______________ as vezes que fomos àquela cidade o dia estava lindo.

13 Qualquer dúvida é só chamar, estamos aqui para esclarecer _______________

14 _______________ o nosso salário é usado para as despesas da casa, não sobra nada!

15 A viagem foi muito interessante, visitamos _______________ os pontos turísticos das principais cidades de Minas Gerais.

16 _______________ dia eu digo pra mim mesmo que devo organizar meus livros, mas no final, continua _______________ igual na estante.

17 _______________ os convidados já chegaram, podemos começar a palestra.

18 Já está _______________ pronto pra festa, arrumei _______________ bem direitinho como você pediu.

19 Ele passou as férias _______________ fazendo perguntas idiotas à guia... coitadinha!

20 Você me interrompe _______________ hora! Assim não vou conseguir terminar o artigo para amanhã!

21 A geladeira está completamente vazia! Está faltando de _______________ aqui em casa!

22 _______________ as cidades litorâneas do Brasil são banhadas pelo Oceano Atlântico.

23 A família _______________ saiu de férias, a casa está vazia.

24 Você já leu o livro _______________? Pode me emprestar?

25 Vou me atrasar; o gatinho fez a maior bagunça e vou ter que dar um jeito em _______________ antes de sair.

Complete os diálogos a seguir com *tudo*, *todo*, *toda*, *todos* ou *todas*.

1 Débora – Você já esteve em Passa Quatro alguma vez?
Marcos – Já! Adoro _____________ as cidades de Minas!

2 Alberto – Na próxima semana vou viajar para Manaus.
Já passei no banco para sacar _____________ o dinheiro,

escolhi ______________ a roupa que quero levar e arrumei ______________ as malas. Praticamente já está ______________ pronto.

Joana — ______________ o dinheiro, ______________ a roupa... nossa... quanto tempo você pretende passar em Manaus?

Alberto — Vou ficar por lá ______________ o mês de agosto.

3 Laura — Você acha que a festa vai ser boa?

Rubens — Acho que sim, afinal ______________ o que eles fazem sai bem-feito.

4 Adriana — Você assistiu ao jogo ______________ ontem pela TV?

Carlos — Não, eu estava muito cansado, trabalhei muito a semana ______________

5 Luisa — O senhor pratica algum esporte?

Antônio — Eu fiz esporte a minha vida ______________ , mas agora estou com problemas no joelho. Há meses ***(que)*** faço fisioterapia ______________ os dias.

6 Cristina — O que você achou daquele prato que você pediu ontem no restaurante japonês?

Ricardo — Gostei muito! Eu adoro ______________ da culinária japonesa.

7 Fernando – Quando eu me aposentar quero viajar
_____________ ano.
Carolina – Para a Europa?
Fernando – Não, para o Nordeste do Brasil. Pretendo ir a
___________ as cidades de praia que ainda não conheço.

8 Alessandro – E aquele projeto do seu amigo de
construir uma pousada em Olinda? Deu certo?
Ronaldo – Deu, sim! E está indo de vento em popa!
_____________ o que ele toca vira ouro!

9 Rodrigo – Você leu esse romance _____________ ?
Arnaldo – Que nada! Achei muito chato... parei na metade.
Rodrigo – Que pena!... eu li _____________ os livros
desse autor e adorei. Acho ele sensacional!
Arnaldo – Não concordo. Nem _____________ o que
ele escreve é interessante.

10 Cristiane – A cidade _____________ está repleta de
turistas!
Regina – É verdade! Os hotéis estão _____________
lotados. Vai ser uma boa temporada para o turismo.

____
____
____
____
____

FUTURO SIMPLES DO INDICATIVO

Complete as frases com o Futuro Simples do Indicativo dos verbos entre parênteses.

1 Vocês ______________ ***(estar)*** na praia amanhã cedo?

2 Ele ______________ ***(ser)*** o novo diretor de vendas da empresa.

3 Ela ______________ ***(ir)*** morar na França no ano que vem.

4 Nós ______________ ***(trabalhar)*** nos novos computadores da empresa.

5 Eu só __________________ ***(dizer)*** a verdade.

6 José e Ana _________________ ***(cantar)*** a música "Águas de março", de Tom Jobim, amanhã no festival.

7 Adelaide ______________ ***(ser)*** a nova secretária do diretor do hospital.

8 Pedro ______________________ ***(ler)*** um poema de Cecília Meireles para a aula de amanhã.

9 Lúcia ______________ ***(dar)*** uma festa na sua nova casa sábado que vem.

10 Nós _______________ ***(estudar)*** Modernismo na próxima semana.

11 Nós _______________ ***(ir)*** ao restaurante japonês hoje à noite.

12 Eles _______________ ***(fazer)*** os exercícios de português.

13 Você_______________ ***(dever)*** aprender de cor a letra daquela música.

14 Leo _______________ ***(aprender)*** de cor quais são as preposições que pode usar com cada verbo.

15 Marta e eu _______________ ***(dizer)*** o que achamos da reunião em um relatório.

16 A imprensa _______________ ***(ser)*** convocada para uma reunião coletiva na próxima quarta-feira.

17 Suas sandálias novas _______________ ***(ficar)*** perfeitas com esse vestido!

18 Manuela _______________ ***(fazer)*** uma dieta rigorosa e, depois de alguns meses, _______________ ***(caminhar)*** todas as manhãs na areia da praia.

19 Eu ________________ ***(pensar)*** com calma no que você está propondo.

20 Depois de ter analisado os projetos, o Diretor ___________ ***(escolher)*** o mais adequado para a empresa.

Complete as frases com os verbos entre parênteses no Futuro Simples do Indicativo.

1 Amanhã ele ____________ ***(acabar)*** de escrever seu livro.

2 Ela ________________ ***(ajudar)*** seu filho a aprender a ler.

3 Eu ________________ ***(apagar)*** a luz antes de dormir.

4 No dia do seu casamento ele ________________ ***(cortar)*** os cabelos.

5 Amanhã de manhã você ________________ ***(escutar)*** minha música na rádio.

6 Segunda-feira eu ________________ ***(estar)*** na Suíça.

7 Esta noite ele ________________ ***(trazer)*** um amigo para jantar conosco.

8 Hoje à noite nós ________________ ***(assistir)*** a um concerto de Toquinho.

9 Ele ________________ ***(pegar)*** um livro em português na biblioteca da escola.

10 Você ________________ ***(receber)*** um e-mail com o convite para a festa.

11 Amanhã vocês ________________ ***(acordar)*** cedo?

12 Eu __________ ***(escrever)*** uma poesia para minha namorada.

13 Para sair em tempo ela ___________ ***(acordar)*** às 5 horas.

14 Eu ______________ ***(voltar)*** para casa depois do meio-dia.

15 Eu ________________ ***(dizer)*** a todos que estou feliz.

16 Carla ________________ ***(trazer)*** um bolo para a sua festa de aniversário.

17 Você ________________ ***(ter)*** paciência de esperar o voo?

18 Nós ________________ ***(dizer)*** que você foi muito gentil com todos.

19 Os alunos ________________ ***(escrever)*** um resumo da História do Brasil.

20 Você me ________________ ***(ligar)***? Espero notícias!

Agora coloque os verbos das frases no "Futuro com verbo ir" do Indicativo.

____

____

____

____

____

FUTURO COM O VERBO "IR"

Complete as frases com o Futuro com verbo "ir", como no exemplo.

Lucas _______________ ***(viajar)*** na próxima semana.
Lucas vai viajar na próxima semana.

1 Eu _______________ ***(pedir)*** uma caneta para escrever uma poesia.

2 Eles _______________ ***(ajudar)*** seus tios a cortar grama no jardim.

3 Você promete que _______________ ***(voltar)*** aqui para ver minhas flores?

4 Ele _______________ ***(falar)*** no congresso dos arquitetos?

5 Para amanhã, vocês _______________ ***(ler)*** o poema "Tabacaria", de Fernando Pessoa.

6 Nós _______________ ***(tomar)*** uma cerveja amanhã à noite, depois do show do Caetano Veloso. Você quer vir com a gente?

7 Aquela atriz loura _______________ ***(participar)*** da próxima novela.

8 Sábado que vem nós _______________ ***(comer)*** uma picanha no churrasco na casa do Zé.

9 Domingo eu _______________ ***(conhecer)*** os pais dela num almoço.

10 Elas _______________ ***(escolher)*** os vestidos para a festa de formatura.

Agora coloque os verbos das frases no Futuro Simples do Indicativo.

____

____

____

____

____

PRESENTE DO INDICATIVO, PRESENTE CONTÍNUO, PASSADO CONTÍNUO E FUTURO COM O VERBO "IR"

Complete o diálogo abaixo com os verbos no tempo do modo indicativo indicado entre parênteses:

Na praia

Ana e Marcelo estão na praia. O dia está maravilhoso e o mar, mansinho.

Ana – Que dia lindo, né?

Marcelo – ________________ ***(querer – presente simples do indicativo)*** um picolé?

Ana – É... pode ser.

Marcelo chama o garoto do picolé.

Marcelo – Sorvete! De que que ________________ ***(ter – presente simples do indicativo)***?

Garoto – ________________ ***(ter – presente simples do indicativo)*** de chocolate, coco, limão, goiaba, maracujá, uva, manga e jabuticaba.

Marcelo – Jabuticaba?!

Garoto – É. É o novo sabor.

Marcelo – Então eu ________________ ***(querer – presente simples do indicativo)*** esse de jabuticaba! ***(para Ana)*** De que você ________________ ***(querer – futuro com verbo "ir")***?

Ana – Eu ________________ ***(querer – futuro com verbo "ir")*** um de limão.

Marcelo ***(para garoto)*** – Quanto é?

Garoto – Sete reais.

Marcelo ***(para Ana)*** – Eu _______________ ***(pensar – presente contínuo)*** em ir ao cinema hoje.

Ana – O que tem de bom passando?

Marcelo – Não sei. Dá uma olhada aí no jornal.

Ana – ***(lendo o jornal)*** Não _______________ ***(eu – ver – presente simples do indicativo)*** nada de interessante.

Marcelo – Então _______________ ***(nós – tomar – futuro com verbo "ir")*** um chope mais tarde? _______________ ***(você – querer – presente simples do indicativo)*** chamar alguém pra ir com a gente?

Ana – Pode ser. Vamos ver se o Pedro e a Laura querem ir.

Marcelo – Você está com o celular aí?

Ana – Tá aí na bolsa.

Marcelo ***(ao celular)*** – Alô, Pedro? Aqui é o Marcelo!

Pedro – Oi, Marcelo! Tudo bem?

Marcelo – Tudo joia. Você estava dormindo?

Pedro – Que dormindo, o quê! Estava dando um jeito lá na cozinha, que estava a maior bagunça! Onde você _______________ ***(estar – presente simples do indicativo)***?

Marcelo – Na praia, com a Ana. A gente _______________ ***(pensar – passado contínuo)*** em tomar um chopinho hoje à noite e _______________ ***(nós – pensar – pretérito perfeito)*** em chamar você e a Laura. O que vocês _______________ ***(achar – presente simples do indicativo)***?

Pedro – Por mim tudo bem. A Laura não _______________ ***(estar – presente simples do indicativo)*** em casa agora;

quando ela chegar ______________ ***(eu – falar – presente simples do indicativo)*** com ela. Mas acho que ela ______________ ***(gostar – futuro com verbo "ir")*** da ideia porque ela ______________ ***(estar – presente simples do indicativo)*** doida pra sair.

Marcelo – Bom, a gente vai ficar por aqui mais uma horinha. Mais tarde me liga pra gente combinar onde é que a gente se encontra.

Pedro – Falou, eu ______________ ***(ligar – presente simples do indicativo)***. Mais tarde a gente se fala.

Marcelo – Beleza! Um abraço.

Pedro – Abração. Tchau.

Ana – E aí? O que ele ______________ ***(dizer – pretérito perfeito)***?

Marcelo – Ele topou, mas a Laura não ______________ ***(estar – presente simples do indicativo)*** em casa. Quando ela chegar ele ______________ ***(falar – futuro com verbo "ir")*** com ela. Mais tarde ele ______________ ***(telefonar – futuro com o verbo "ir")*** pra confirmar. Vamos dar um mergulho?

Ana – Vamos!

____

____

____

____

____

FUTURO DO PRETÉRITO

Complete os diálogos abaixo conjugando os verbos entre parênteses no Futuro do Pretérito, como no exemplo:

Eu _____________ *(viajar)* amanhã mesmo, mas não posso.
Eu viajaria amanhã mesmo, mas não posso.

1 Pedro – Você me _______________ ***(fazer)*** um favor? Preciso de ajuda para terminar esses exercícios.
Rita – Claro! Do que você precisa?
Pedro – Eu _______________ ***(gostar)*** que você completasse essas frases para mim. Tenho que entregar o exercício amanhã.
Rita – Ah... eu sinto muito! Eu _______________ ***(fazer)*** com o maior prazer, mas amanhã tenho que entregar meus exercícios de alemão.

2 Luis – Você _______________ ***(vir)*** comigo à festa na casa do Rui amanhã?
Carla – Eu _______________ ***(adorar)***, mas já combinei de sair com o Paulinho.
Luis – Acho que você _______________ ***(divertir-se)*** muito mais comigo na festa do que com aquele chato do Paulinho.
Carla – Coitado! Ele não é chato! E para ir com você eu. _______________ ***(ter)*** que inventar uma desculpa pra ele e eu não _______________ ***(gostar)*** de ter que fazer isso.

Luis – Tudo bem, não tem problema. E a um cineminha na semana que vem, você _______________ *(ir)* comigo?
Carla – Sem dúvida! Mas a gente _______________ *(poder)* chamar o Paulinho também?

3 Laura – Eu _______________ *(querer)* muito ir à Chapada Diamantina esse ano, mas não vou poder.
Pedro – Que pena! Por quê? Me lembro que você falou desse projeto.
Laura – Fiz as contas e vi que eu não _______________ *(ter)* dinheiro para ficar lá muito tempo.
Pedro – Você não pode deixar de tirar férias! Eu lhe empresto o dinheiro para a viagem!
Laura – Você me _______________ *(emprestar)* realmente esse dinheiro? Olha que eu só _______________ *(poder)* devolver no próximo ano!
Pedro – Não tem problema. Se eu não pudesse emprestar o dinheiro eu não _______________ *(oferecer)*.

Complete as frases abaixo conjugando os verbos entre parênteses no Futuro do Pretérito, como no exemplo:

Eu _______________ *(ir)* à festa, mas não fui convidado.
Eu iria à festa, mas não fui convidado.

1 Nós _______________ *(gostar)* de ir ao show do Caetano, mas os ingressos estão esgotados.

2 A gente _______________ ***(pode)*** organizar a festa na casa da Laura, o que vocês acham?

3 Você _______________ ***(fazer)*** uma caipirinha hoje à noite para comemorar o fim do curso de português?

4 Ele _______________ ***(querer)*** continuar a estudar, mas teve que começar a trabalhar.

5 Vocês _______________ ***(dever)*** estudar um pouco mais os verbos irregulares.

6 Eu _______________ ***(morar)*** numa casa de campo e você?

7 João me disse que _______________ ***(ter)*** mais um cachorro, mas não tem mais espaço em casa para tanto bicho.

8 Claudio _______________ ***(construir)*** uma casa de dois andares na praia, mas por enquanto não tem dinheiro para isso.

9 Henrique disse que _______________ ***(pegar)*** a barca das 11:30 ***(onze e meia)***. Não entendo por que ele ainda não chegou.

10 A editora _______________ ***(publicar)*** o romance dele esse ano, mas ele não ainda conseguiu terminar o primeiro capítulo!

11 A gente _______________ ***(querer)*** morar em Minas, mas meu marido foi transferido para São Paulo.

12 Tenho certeza de que ele _______________ ***(fazer)*** todo o possível para me ajudar.

13 João disse que _______________ ***(trazer)*** os limões para a caipirinha hoje à noite, mas não consigo falar com ele, o celular está desligado há horas!

14 Eu _______________ ***(ler)*** mais livros do que estou lendo, mas não tenho tempo.

15 Ela me garantiu que _______________ ***(chegar)*** em tempo para o casamento, afinal ela é a madrinha!

____

____

____

____

____

CRIATIVIDADE E EXPRESSÃO – DIÁLOGO

Preencha com o verbo entre parênteses, em seguida, exercite a sua pronúncia e entonação.

Joaquim vai à venda para comprar algumas frutas, legumes e verduras.

– Bom dia, seu Pedro!
– Olá, Joaquim! Como vai?
– Bem, obrigado. E o senhor?
– Bem, obrigado. O que _______________ ***(você - desejar – presente simples do indicativo)*** comprar hoje?
– Eu _______________ ***(eu – querer – futuro do pretérito)*** dois quilos de tomate, seis abobrinhas e uma alface.
– A alface está fresquinha! O senhor _______________ ***(gostar – futuro do pretérito)*** de escolher os tomates?
– Sim, obrigado.
– Vai querer alguma fruta hoje?
– Sim, _______________ ***(eu – querer – futuro do pretérito)*** dois melões, meio quilo de maçãs, meio quilo de pera e um cacho de bananas.
– Que tipo de banana o senhor _______________ ***(querer – presente simples do indicativo)***?
– Banana prata, por favor.
– Mais alguma coisa?
– Sim, _______________ ***(eu – precisar – presente simples do indicativo)*** de uma cabeça de alho e duas cebolas.

– Está bem assim?

– Sim, tudo perfeito! Quanto lhe ______________ ***(eu – dever – presente simples do indicativo)***?

– São 35 reais.

– Está aqui. O senhor ______________ ***(ter – presente simples do indicativo)*** troco para cinquenta?

– Sim, tenho. Está aqui, Joaquim.

– Muito obrigado, seu Pedro. Agora ______________ ***(eu – cozinhar – futuro com o verbo ir)***!

– Muito bem. Alguém para o almoço hoje?

– Sim, meus pais e uma prima de Cataguazes.

– Então bom apetite!

– Obrigado mais uma vez. Um bom dia para o senhor!

– Igualmente, Joaquim! Bom almoço!

– Até amanhã!

____

____

____

____

____

IMPERATIVO

Complete as frases e diálogos abaixo com o Imperativo de *tu, você* ou *vocês.*

1 _______________ ***(fazer– você)*** o que eu digo, mas não _______________ ***(fazer – você)*** o que eu faço.

2 Marta, _______________ ***(pedir – tu)*** para o Carlinhos me ligar hoje à noite, preciso muito falar com ele.

3 _______________ ***(tentar – tu)*** fazer os exercícios sozinho e nós corrigimos juntos mais tarde.

4 _______________ ***(acabar – você)*** logo com isso! Você está escrevendo esse relatório há horas!

5 _______________ ***(ficar – vocês)*** junto do Paulinho perto do palco, quando o show terminar levo vocês para cumprimentar os músicos.

6 Pedro – Vamos ao show da Adriana Calcanhoto mais tarde?
Lucia – Claro! Já convidei também a Ana.
Pedro – Então _______________ ***(reservar – tu)*** três lugares numa das primeiras filas!
Lucia – Já reservei, mas _______________ ***(comprar – tu)*** logo pela internet, assim evitamos a fila na bilheteria.

7 Claudia – O Marcos estava muito triste ontem.
Luísa – Ele está com muitos problemas. Não _______________ ***(deixar – você)*** ele sozinho numa hora dessas, ele sempre foi seu amigo.

8 _______________ ***(falar – você)*** mais devagar, por favor, ainda não consigo entender muito bem o português.

9 _______________ ***(pedir – vocês)*** para falar com o gerente, eu não posso resolver isso.

10 Minha camisa está toda amassada! _______________ ***(passar – tu)*** pra mim? Tenho uma reunião importante hoje, não posso me apresentar assim!

11 _______________ ***(ler – vocês)*** com atenção todos os enunciados antes de começar a fazer o teste.

12 Não _______________ ***(esquecer – vocês)*** de escrever o próprio nome quando acabarem a prova.

Complete os diálogos abaixo com o Imperativo de tu, você ou vocês.

1 Helena – O Julinho está manhoso demais! Essa noite não consegui dormir nada!
Manuel – ________ ***(ter – você)*** paciência com ele! Os dentes estão nascendo e o médico disse que isso dói muito.

2 Lucas – Você vem à festa de fim de ano?
Marisa – Mas é claro! Vou levar o violão.
Lucas – Ah, _______________ ***(trazer – tu)*** o pandeiro também! E _______________ ***(convidar – tu)*** a tua irmã.
Marisa – _______________ ***(telefonar – tu)*** pra ela, aposto que ela vai adorar o teu convite.

3 Professora – Não _______________ ***(fazer – vocês)*** tanto barulho! Estou ficando rouca de tanto gritar!
Marcos – Iihhh, a prof está estressada hoje.
Lina – Sshhh! _______________ ***(calar – tu)*** a boca! Quer piorar as coisas?
Carla – Não _______________ ***(encher – tu)*** o saco, Marcos! Coitada da prof!

4 Manuel – _______________ ***(perguntar – você)*** pro doutor se podemos dar as gotinhas para dor de dente.
Helena – Já liguei várias vezes. Estou cansada de ouvir aquela voz de taquara rachada da secretária eletrônica: _______________ ***(deixar – você)*** seu recado após o sinal!
Manuel – _______________ ***(tentar – você)*** o celular!
Helena – É lógico que já tentei! Está sempre desligado!

5 Lucia – Amanhã é o aniversário do Claudio e não sei o que dar de presente.
Tatiana – _______________ ***(dar – tu)*** um livro do Carlos Drummond de Andrade! Ele adora poesia!

Complete os diálogos abaixo com o Imperativo de tu, você ou vocês.

– Por favor, moço, como faço para ir daqui para o Real Gabinete Português de Leitura?
– Ah, é muito fácil – _______________ ***(seguir – você)*** sempre em frente por essa rua aqui e lá no final você _______________ ***(virar – você)*** à direita.

– Bom dia, eu queria falar com a Tania, que trabalha na secretaria.
– Pois não, a secretaria fica no segundo andar, _______________ ***(subir – o senhor/a senhora)*** as escadas, ______________ ***(virar – o senhor/a senhora)*** à esquerda e ___________ ***(percorrer – o senhor/a senhora)*** todo o corredor.
– Obrigada! Mas não posso subir de elevador?
– _______________ ***(desculpar – o senhor/a senhora)***, mas o elevador está enguiçado desde hoje de manhã e até agora ninguém veio consertar.

– Preciso comprar um presente para a minha mãe, é aniversário dela semana que vem. Pensei em comprar um livro da Lya Luft, ela gosta muito!
– Então, _______________ ***(vir – tu)*** comigo até a livraria! Estou indo lá para comprar um dicionário de francês.

– Alô? Por favor, eu queria falar com o Lucas, ele está?
– Ele está numa reunião. Quer deixar um recado?

– Sim, por favor, _______________ ***(dizer – você)*** para ele que a Ana ligou, ele tem meu celular.

– Me _______________ ***(fazer – tu)*** um favor?
– Claro! _______________ ***(dizer – você)***!
– _______________ ***(pegar – você)*** aquelas folhas de papel ali na estante e _______________ ***(distribuir)*** nas mesas dos alunos, depois _______________ ***(abrir – você)*** a caixa dos lápis de cor e _______________ ***(pôr – você)*** um lápis para cada aluno.

____

____

____

____

____

CRIATIVIDADE E EXPRESSÃO – DIÁLOGO

Complete o diálogo com o Imperativo ou com o Presente Contínuo, depois leia o diálogo para exercitar sua pronúncia e entonação.

O Jeitinho brasileiro

Bárbara e Mateus estão no aeroporto do Rio de Janeiro, de partida para Fortaleza.

Bárbara – Ai, meu Deus! Onde está meu passaporte?

Mateus – Não vai me dizer que você esqueceu em casa!

Bárbara – ________________ ***(virar – tu – Imperativo)*** essa boca pra lá, Mateus! Tá aqui! Achei!

Mateus – Que susto!... vamos para aquela fila ali, que está menor.

Bárbara – Vamos lá. Já é a nossa vez.

Funcionária – Quantas pessoas ________________ ***(viajar - Presente Contínuo)***?

Bárbara – Nós dois...

Funcionária – Me deem os passaportes e passagens, por favor, e ________________ ***(por – vocês – Imperativo)*** as malas na esteira... vocês excederam o peso em dez quilos.

Mateus – Viu, Bárbara? Bonito, né? Eu disse que você estava trazendo muita coisa!

Bárbara – Ai, moça... não dá pra dar um jeitinho?

Funcionária – Jeitinho?

Bárbara – ...eu... eu só _______________ ***(querer – Futuro do Pretérito)*** saber se tem um modo de não pagar o excesso de bagagem...

Mateus – Bárbara, não _______________ ***(complicar – tu – Imperativo)*** ainda mais a situação! Vamos pagar o excesso de peso e pronto.

Bárbara –... mas... quanto temos que pagar a mais?

Funcionária – Duzentos reais.

Bárbara – O quê????!!! Não é possível!

Funcionária – É possível, sim.

Bárbara – Eu quero falar com o responsável!

Funcionária – Responsável?... responsável pelo quê? A senhora é que é responsável pelo excesso de peso na sua mala.

Bárbara – Eu quero falar com o responsável por esse embarque!

Mateus – Calma, Bárbara! Tá todo mundo olhando!

Funcionária – Tá certo _______________ ***(ficar – vocês – Imperativo)*** aqui ao lado um minutinho que vou chamar o meu diretor. Só peço para que saiam da fila para não atrasar o voo.

Bárbara – Mas como? As minhas malas já estão na esteira!

Mateus – _______________ ***(ver – você – Presente Contínuo)*** só que confusão?... não era mais simples ter trazido uma mochila ou uma mala menor?

Bárbara – Paciência, Mateus, agora a besteira já foi feita. O negócio agora é tentar consertar.

Diretor – Pois não? Qual é o problema?

Bárbara – Meu senhor, eu sei que as minhas malas estão mais pesadas do que é permitido, mas não dá pra dar um jeito de evitar que eu tenha que pagar esses duzentos reais? Estou indo para Fortaleza de férias... não posso gastar esse dinheiro...

Diretor – Olha... o que eu posso fazer pela senhora é ver se tem alguém que esteja viajando com pouca bagagem. Só assim posso deixar a senhora embarcar sem pagar o excesso de peso. _______________ ***(esperar – a senhora – Imperativo)*** um momento que vou confirmar com aquele rapaz se ele vai embarcar só com aquela mochila... o senhor tem mais alguma bagagem além da mochila?

Rapaz – Não, não. Só a mochila, mesmo.

Diretor – Perfeito, então a senhora pode embarcar, mas _______________ ***(lembrar-se – a senhora – Imperativo)*** – da próxima vez não vai ter jeitinho!

Bárbara – Muito obrigada!

Mateus – Ai, que vergonha...

Funcionária – Aqui estão suas passagens. O embarque é daqui a meia hora no portão 5. Boa viagem.

Complete o diálogo com o Imperativo, depois leia o diálogo para exercitar sua pronúncia e entonação.

Na praça do Pelourinho, em Salvador, na Bahia, uma baiana vende acarajé e dá receita de vatapá a um casal de turistas.

John – Bom dia!

Baiana – Bom dia, meus amores! Vão querer um acarajé?

John – O que é "acarajé"?

Baiana – Bolinho de feijão, meu lindo. Bolinho de feijão frito... e dentro a gente põe o vatapá.

Mary – Ah! Já ouvi falar do vatapá! Mas como se faz?

Baiana – ______________ ***(você – anotar)*** aí a receita. ______________ ***(separar – você)*** os ingredientes: 500 g de camarão seco, 2 litros de leite de coco, 150 g de amendoim torrado e sem a pele, 150 g de castanha de caju, ½ molho de cheiro verde, ½ molho de coentro, 4 tomates picados, 2 cebolas grandes picadas, 2 xícaras de azeite de dendê, 1 colher de azeite de oliva, 3 xícaras de farinha de trigo ou aproximadamente 10 pães franceses amanhecidos, sal e 1 pequeno pedaço de gengibre ralado.

Mary – Nossa! E como vou fazer para encontrar todos esses ingredientes?

Baiana – Você está na Bahia, minha linda! Vamos lá para a preparação, ______________ ***(você – continuar)*** anotando. ______________ ***(você – limpar)*** os camarões, tirando a calda e a cabeça, separando a metade. ______________ ***(você – bater)*** no liquidificador o amendoim, as castanhas e metade dos camarões até virar uma farofa homogênea. ______________ ***(você – dissolver)*** a farinha de trigo em ½ litro de leite de coco frio. Se estiver usando pão, ______________ ***(você – colocar)*** de molho na mesma quantidade de leite de coco. ______________ ***(você – pôr)*** o restante do leite de coco na panela. ______________ ***(você – bater)*** os temperos no liquidificador, ______________ ***(você – levar)*** a panela ao fogo e ______________ ***(você – acrescentar)*** a farinha dissolvida, ou os pães, os temperos batidos e a farofa de camarão, amendoim e castanha. Não ______________ ***(você – parar)*** de mexer para não embolar. ______________ ***(você – acrescentar)*** o dendê, o azeite de oliva a outra metade dos camarões inteiros, o sal e o gengibre. ______________ ***(você – continuar)*** a mexer até ferver bem. O vatapá deve ficar com uma consistência firme, mas cremosa. Se ficar muito duro, ______________ ***(você – adicionar)*** mais leite de coco, se ficar muito mole, ______________ ***(você – acrescentar)*** mais farinha de trigo ou pão.

John – Acho que vai ficar muito bom!

Baiana – Vocês são de onde?

Mary – Nós somos ingleses.

Baiana – Vocês falam português muito bem, viu?

Mary – Obrigada! Fizemos um curso.

John – Eu quero um acarajé.

Baiana – Quente ou frio?

John – Quente, lógico...

(alguns segundos depois)

John – Meu Deus! Está apimentadíssimo!!! Minha boca está ardendo! Água! Água!

Baiana – Hahahhaha! Ô, meu lindo, você disse que queria "quente", a baiana carregou na pimenta!

CRIATIVIDADE E EXPRESSÃO

Crie diálogos a partir das seguintes sugestões:

1 Você encontra sua melhor amiga numa livraria onde você foi para comprar um livro de presente para ela porque é o seu aniversário.

2 Você está numa estação de metrô e está atrasado***(a)*** para um compromisso com uma amiga. A amiga telefona para o seu celular para saber onde você está.

3 Você recebe um casal, um amigo seu e a sua namorada, para jantar na sua casa. A namorada do seu amigo é estrangeira e está visitando o Brasil pela primeira vez.

4 Você tenta convencer uma amiga a ir ao shopping com você, mas ela prefere ir à praia.

5 Você tenta convencer um***(a)*** amigo***(a)*** amiga a fazer uma viagem com você a Fernando de Noronha, mas ele***(a)*** prefere ir para Londres.

____

____

____

____

____

PRESENTE CONTÍNUO E PRETÉRITO PERFEITO COMPOSTO

Observe as frases:

Eu estudo português há três anos.
Estou estudando português há três anos.
Faz três anos que estudo português.
Faz um ano que comecei a estudar português.
Eu tenho estudado português todas as noites.
Eu estou estudando português todas as noites.
Eu estou estudando português neste momento, por isso não posso sair com você.

Agora complete as frases livremente:

Eu estou ______________________________

Marta tem andado ______________________________
porque ______________________________

José está ______________________________
e não ______________________________

Nós temos ______________________________
e ______________________________

Faz muito tempo que eu ______________________________

Lucio tem ______________________________,
mas ______________________________

O grupo de português está ______________________________

Faz um ano que ______________________________

Eu tenho ______________________________
por isso ______________________________

Ele está ______________________________
porque ______________________________

____

____

____

____

____

PRETÉRITO PERFEITO COMPOSTO

Complete as lacunas com os verbos no Pretérito Perfeito Composto, como no exemplo:

Marta _______________ *(procurar)* cartões-postais com motivos do Rio Antigo em todas as livrarias.
Marta tem procurado cartões-postais com motivos do Rio Antigo em todas as livrarias.

1 Eu _______________ *(falar)* com os diretores da empresa todos os dias.

2 Carlos e Patrícia _______________ ***(procurar)*** uma casa com jardim para alugar.

3 Vocês _______________ ***(estudar)*** português?

4 Você _______________ ***(ler)*** alguma coisa interessante nas últimas semanas?

5 Ela _______________ ***(trabalhar)*** demais nos últimos meses.

6 Paulo _______________ ***(ensinar)*** alemão em uma escola desde que foi morar em Berlim.

7 Ele _______________ ***(tocar)*** piano todas às tardes.

8 Mauro _______________ *(pensar)* naquele assunto insistentemente.

9 Nós __________ *(pesquisar)* coisas interessantes na internet.

10 Os professores brasileiros _______________ *(manifestar-se)* contra algumas medidas do Governo.

11 Meus amigos _______________ *(ver)* o que está acontecendo no Brasil.

12 Marta _______________ *(fazer)* muitos novos amigos na cidade onde foi morar.

13 Nas aulas de matemática o professor _______________ *(pedir)* para os alunos fazerem muitos exercícios.

14 Luciana _______________ *(pôr)* seu vestido novo todos os domingos para ir à missa.

15 Nós _______________ *(pedir)* silêncio em vão nas reuniões do partido.

16 Aquela empresa _______________ *(vender)* suas ações a um ótimo valor.

17 Eu _______________ *(correr)* no parque da cidade todo fim de semana *(ou todos os fins de semana)*.

18 Seu Jorge _______________ ***(escrever)*** belas canções de uns tempos pra cá.

19 Vocês _______________ ***(vir)*** ao centro da cidade com frequência?

20 Os exercícios _______________ ***(servir)*** para melhorar a compreensão dos aspectos gramaticais da língua.

Una a coluna da direita à da esquerda para formar o diálogo no Pretérito Perfeito Composto.

1. O que você tem feito de bom? **2.** Você tem ido ao cinema? **3.** A Ana tem viajado bastante... **4.** Eu tenho posto algumas fotos na rede social, mas você não tem comentado. **5.** O Julio tem andado muito nervoso!	**a.** Desculpe! Não tenho entrado muito na internet ultimamente. **b.** Claro, né? Ela agora é guia de turismo, você não sabia? **c.** Tenha paciência! Você vai ver que depois que passar o período de provas ele volta ao normal. **d.** Nada. Não tenho tido tempo de fazer nada... ando trabalhando demais! **e.** Que nada! Depois que comprei aquela televisão de 40 polegadas só tenho visto os filmes em casa.

PRETÉRITO MAIS-QUE-PERFEITO SIMPLES CRIATIVIDADE E EXPRESSÃO

Continue o texto utilizando o Pretérito Mais-que-Perfeito Simples

João acordara mais cedo do que o normal, fizera o café no fogão a lenha e o tomara sozinho, pensando nos últimos acontecimentos. Aquela noite de São João mudara completamente a sua vida e fizera com que ele começasse a ver o mundo com outros olhos. João chegara à festa naquela noite...

PRETÉRITO MAIS-QUE-PERFEITO COMPOSTO

Complete as frases conjugando o verbo "ter" no Imperfeito do Indicativo e colocando o segundo verbo entre parênteses no particípio para formar o Pretérito Mais-que-Perfeito Composto, como no exemplo:

Quando vi o gatinho já ______________ ***(ter + derrubar)*** o copo de leite.
Quando vi o gatinho já tinha derrubado o copo de leite.

1 Nós ______________ ***(ter + combinar)*** de ir à praia às 11 horas, mas quando eu cheguei eles já ______________ ***(ter + sair)***.

2 Quando entrei no cinema o filme já ______________ ***(ter + começar)*** há mais de meia hora!

3 A peça de teatro não era nada de mais. Depois de 20 minutos nós já ______________ ***(ter + levantar)*** e ______________ ***(particípio de "ir")*** embora.

4 Ontem telefonei pra Marta pra contar as novidades, mas Roberto já ______________ ***(ter + ligar)*** antes e já ______________ ***(ter + contar)*** tudo.

5 O professor explicou a equação, mas eu já ______________ ***(ter + entender)*** tudo bem direitinho.

6 Nós já ______________ ***(ter + expedir)*** as malas quando eles comunicaram que o voo estava atrasado.

7 Quando finalmente Ana e Pedro chegaram o jantar já ______________ ***(ter + acabar)***.

8 Quando você me ligou eu já ______________ ***(ter + acordar)*** e ______________ ***(particípio de "tomar")*** meu café.

9 Ela ______________ ***(ter + tirar)*** o bolo do forno e estava esperando seu namorado na janela.

10 Mal subimos no ônibus e o motorista já ______________ ***(ter + engrenar)*** a primeira!

11 A conferência já ______________ ***(ter + chegar)*** ao fim quando alguns jornalistas começaram a fazer perguntas.

12 Eles já ______________ ***(ter + fazer)*** grande parte dos exercícios, mas o tempo da prova esgotou.

Complete as frases conjugando o verbo "ter" no Imperfeito do Indicativo e colocando o segundo verbo entre parênteses no particípio para formar o Pretérito Mais-Que-Perfeito Composto, como no exemplo:

Quando meu despertador tocou eu já ______________ *(ter + acordar)* há meia hora.

Quando meu despertador tocou eu já tinha acordado há meia hora.

1 Quando nós entramos em casa, nosso cachorro já _______________ ***(ter + roer)*** metade do sofá.

2 Eu já _______________ ***(ter + dizer)*** tudo, mas o delegado continuava a indagar.

3 Nós já _______________ ***(ter + ver)*** aquele filme, mas decidimos revê-lo com os amigos.

4 Vocês já _______________ ***(ter + vir)*** a Parati antes?

5 Eles nunca _______________ ***(ter + ir)*** a Conservatória antes e _______________ ***(particípio de "ouvir")*** uma serenata.

6 Eu nunca _______________ ***(ter + beber)*** uma pinga tão boa!

7 Você já _______________ ***(ter + ler)*** esse romance?

8 Ele já _______________ ***(ter + ter)*** catapora quando era criança, por isso não ficou com medo de pegar novamente.

9 Ele chegou para o jantar e eu me lembrei de que ainda não _______________ ***(ter + pôr)*** a cerveja na geladeira.

10 Julia nunca _______________ ***(ter + comer)*** caranguejo em toda a sua vida.

11 Eu _______________ ***(ter + pedir)*** para ele comprar sorvete, mas ele se esqueceu e ficamos sem sobremesa.

12 Quando chegamos no barzinho nossos amigos já _______________ ***(ter + tomar)*** mais de seis chopes e já estavam meio altos.

CRIATIVIDADE E EXPRESSÃO

Continue o texto utilizando o Pretérito Mais-Que--Perfeito Composto

João tinha comprado as duas passagens para a Paraíba e tinha chegado cedo na rodoviária. O ônibus ainda não tinha estacionado na plataforma, alguns passageiros já estavam lá e já tinham começado a fazer fila, mas Rosinha ainda não tinha aparecido. Ele já tinha telefonado para a casa da namorada, mas ninguém tinha respondido. Será que ela ainda estava dormindo? Será que o despertador não tinha tocado? João também tinha tentado falar com ela pelo celular, mas nada... será que Rosinha não viria?...

____

____

____

____

____

____

____

____

____

____

____

____

____

____

INFINITIVO PESSOAL FLEXIONADO

Complete as frases com os verbos no Infinitivo Pessoal Flexionado, como no exemplo:

Eu comprei um sapato novo para você ____________ *(usar)* na festa de formatura.
Eu comprei um sapato novo para você usar na festa de formatura.

Eu comprei um vinho para nós ____________ *(comemorar)* nosso aniversário de casamento.
Eu comprei um prosecco para nós comemorarmos nosso aniversário de casamento.

1 Marta pegou um livro na biblioteca para Diego ____________ *(ler)*.

2 José falou para nós ____________ *(fazer)* silêncio.

3 Carlos pediu para vocês ____________ *(ir)* até a sala dele.

4 Eu vou abrir a janela para nós ____________ *(ver)* o céu, o sol e essa lindíssima paisagem.

5 Maria acordou bem cedo para ____________ *(ir)* à praia.

6 Nós bebemos muito para ______________ ***(comemorar)*** o êxito do nosso projeto.

7 Claudio e José correm no parque todas as manhãs para ______________ ***(preparar-se)*** para a maratona de São Silvestre.

8 Vocês combinaram para nós ______________ ***(estudar)*** juntos para a prova?

9 Lucia chegou mais cedo no escritório para ______________ ***(terminar)*** o que tinha deixado inacabado no dia anterior.

10 Nós demos o lanche para as crianças ______________ ***(levar)*** para a escola.

11 Os professores escolheram uma música do Chico Buarque para eles ______________ ***(cantar)*** na apresentação de fim de ano da escola.

12 Nosso professor de química encorajou Manuel e Elisa a ______________ ***(fazer)*** o concurso para professores do Estado.

13 Eu peguei esse livro na biblioteca para vocês ______________ ***(estudar)***. Espero que seja útil!

14 Ontem fui dormir cedo para ______________ *(acordar)* às 6 horas da manhã hoje.

15 Ela abriu a sala da academia para eles ______________ *(entrar)* e tocou piano para eles ______________ *(dançar)*.

Una a coluna da direita à da esquerda para completar os diálogos.

1. Por que você comprou essa gramática? **2.** Compramos os ingressos para irmos ao teatro hoje à noite. **3.** João e Rosa chegam amanhã ao Rio para ver a exposição no museu MAR. **4.** Ela me chamou para tirarmos umas fotos no Jardim Botânico. **5.** Eles compraram uns casacos para levarem para Gramado em outubro.	**a.** Vocês combinaram de nos encontrarmos lá? **b.** Que legal! Ela é uma excelente fotógrafa. **c.** Lá faz frio... mas eu adoraria ir também para assistir ao Festival de Cinema. **d.** Para estudar português, ora essa! **e.** Que maravilha! Posso ir com vocês? Estou louco para ver aquela peça!

____

____

____

____

____

PRONOMES RELATIVOS

Complete as frases abaixo com os pronomes relativos *que, quem, onde, o qual, os quais, a qual, as quais, cujo, cuja, cujos* e *cujas*. Pode haver mais de uma opção.

1 Assim que entrou na sala ela notou as caixas ______________ estavam empilhadas num canto da sala.

2 Esse é o novo professor de português de ______________ lhe falei.

3 Essa é a lista dos poetas ______________ estudaremos no próximo semestre.

4 A Semana de Arte Moderna de 1922 foi um evento importante, ______________ repercussão internacional foi muito importante para o Brasil.

5 Visitaremos a cidade de Parati, no estado do Rio de Janeiro, ______________ tem uma grande importância histórica por ser parte do chamado "Caminho do Ouro".

6 O estilo da casa dele é essencial, em ____________ linhas retas se reconhece o estilo de decoração minimalista.

7 A Chapada Diamantina é um lugar de grande concentração energética, ______________ mistérios

permanecem indecifráveis para muitos dos seus visitantes.

8 Esse aqui é o Paulo, ______________ passou em primeiro lugar no concurso para técnico do Tribunal Regional Eleitoral.

9 Aquela ali é a faxineira ______________ foi despedida na semana passada.

10 Aquele é o vendedor com ______________ você precisa falar a respeito da troca de mercadorias.

11 Comprei uma gramática de português contemporâneo sem ______________ seria impossível estudar para o concurso.

12 Essa é a estrada por ______________ é melhor passar; é mais curta e o asfalto está novo.

Una a coluna da esquerda com a da direita para completar as frases.

1. Esse é o romance...	**a.** ...que contém as regras ortográficas atualizadas.
2. Comprei uma gramática de português contemporâneo...	**b.** ...o qual disse que não sabia nada sobre as novas mudanças.
3. Tentei falar com o novo diretor do departamento...	**c.** ...cujas partituras estavam em cima do piano.
4. Fui ao centro da cidade	**d.** ...cujo personagem principal é Lampião, o rei do cangaço.
5. Ele perguntou sobre as músicas...	**e.** ...onde encontrei aquela sua vizinha fofoqueira.

PRONOMES OBLÍQUOS ÁTONOS E TÔNICOS

Substitua os trechos sublinhados com os pronomes oblíquos átonos ou tônicos, conforme o exemplo:

Eu escrevi *a tese* em poucos meses.
Eu *a* escrevi em poucos meses.
Laura pediu *a Pedro* um convite para a festa.
Laura pediu-*lhe* um convite para a festa.

1 Ele deu um carro de presente para seu filho.

____

____

2 Marisa telefonou para Mario e contou para ele as novidades.

____

____

3 Villa-Lobos escreveu algumas de suas músicas quando era adolescente.

____

____

4 O homem vendeu todos os seus livros para aquela livraria da esquina.

____

____

5 A viúva daquele escritor famoso doou todos os livros do marido para a biblioteca da cidade.

---

6 Cartola compôs a música "O mundo é um moinho".

---

7 O pai do menino deixava ele de castigo e obrigava o menino a tocar piano.

---

8 Ele escreveu um romance e enviou o romance para uma editora.

---

9 Quando era jovem, Villa-Lobos conheceu o músico Donizetti e os dois viajaram para a Amazônia.

---

10 Nós decidimos contatar os funcionários da empresa e dizer para eles que a partir de amanhã o horário de entrada mudará.

---

11 Matilde escreveu uns versos e entregou os versos para um editor.

____

____

12 O presidente Getulio Vargas pediu a Villa-Lobos que colaborasse com o governo do Estado Novo.

____

____

13 Minha tia convidou suas amigas para a festa do seu aniversário.

____

____

14 Os convidados da festa agradeceram ao anfitrião a hospitalidade e o ótimo jantar.

____

____

15 A moça colocou os livros dentro de uma caixa e foi para o correio para enviar a caixa para uma amiga.

____

____

16 A amiga recebeu os livros e ficou muito feliz.

____

____

17 O Brasil reconhece Machado de Assis como um dos seus escritores mais importantes.

____

____

18 Eu comprei um presente para você.

____

____

19 A carreira musical de Villa-Lobos trouxe muita fama para ele na França e no Brasil.

____

____

20 Carlos Gomes apresentou a ópera O Guarani pela primeira vez em Milão, na Itália.

____

____

CRASE

Complete as frases com a crase quando for necessário.

1 Aquele novo escritor tem um estilo ___ *(a – à)* Jorge Amado.

2 Na semana passada, dei um presente _____ *(à – a)* Mauro: duas entradas para o show do Nando Reis.

3 O hospital da cidade fica _____ *(a – à)* duas quadras daqui, você pode tranquilamente ir _____ *(a – à)* pé.

4 Durante o congresso de medicina em Campinas, todos nós fizemos alusão _____ *(a – à)* mesma teoria.

5 Minhas ideias são semelhantes _____ *(às – as)* dele.

6 Então combinamos assim; nos vemos lá _____ *(a – à)* hora do almoço.

7 A casa dos pais dela fica _____ direita *(a – à)* de quem sobe a rua.

8 O advogado se levantou disposto _____ *(à – a)* falar ao juiz em particular.

9 Aproveito essa ocasião e volto _____ *(a – à)* referir-me _____ *(à – a)* problemas já expostos anteriormente.

10 Nosso avião chega ao Rio _____ *(à – a)* noite, precisamente _____ *(às – as)* dez horas.

11 José estava decidido e caminhava _____ *(à – a)* passo firme.

12 Não tive muito tempo para pensar, decidi tudo ontem _____ *(às – as)* pressas.

13 Você tem a chave do portão? Você vai precisar dela se quiser entrar após _____ *(às – as)* 20 horas.

14 Esta é a tarefa _____ *(à – a)* qual eu me referia e que vocês precisam fazer para amanhã.

15 Aquelas fotos traziam _____ *(à – a)* tona muitas recordações.

16 Com esse navegador não se consegue chegar _____ *(à – a)* nenhuma das localidades assinaladas no mapa, não se consegue chegar _____ *(à – a)* lugar algum!

PRESENTE DO INDICATIVO, FUTURO COM VERBO "IR", PRETÉRITO PERFEITO, FUTURO DO PRETÉRITO, PRETÉRITO IMPERFEITO DO INDICATIVO

Complete o Diálogo no tempo indicado entre parênteses, em seguida, exercite a entonação e a pronúncia.

NO TREM DA CENTRAL

Personagens:
- Fabio
- Silvia
- Leonardo
- Lucia
- Antônia
- Daniela
- Laura
- Julia
- Tati

Tati – Bom dia, Silvia!
Silvia – Bom dia! Tudo bem?
Tati – Tudo ótimo! Hoje é o aniversário do Leonardo!
Leonardo – Oi, bom dia!
Silvia – Oi, Leonardo! É seu aniversário?
Leonardo – É.
Julia – Feliz aniversário!
Tati – Parabéns!

Leonardo – Muito obrigado, meninas!

Antônia – Como você _________________ ***(comemorar – futuro com verbo "ir")***?

Leonardo – Eu _________________ ***(trazer – pretérito perfeito)*** uma torta.

Laura – Uma torta? Uau! Torta de quê?

Leonardo – De chocolate.

Fabio – Adoro torta de chocolate!

Antônia – Eu também.

Leonardo – Quem quer um pedaço de torta?

Silvia – Eu _________________ ***(querer – presente simples do indicativo)***! Sem dúvida!

Tati – Todos nós queremos! Mas... vamos comer em pé?...

Lucia – É o jeito...

Leonardo – Eu já _________________ ***(cortar – pretérito perfeito)*** a torta em fatias iguais.

Silvia – Que maravilha!

Laura – Quem _________________ ***(fazer – pretérito perfeito)*** a torta?

Leonardo – Minha mulher

Daniela – ***(comendo)*** hummmm... está uma delícia!

Antônia – Está realmente muito boa!

Lucia – Verdade. Que torta gostosa!

Fabio – Hoje _________________ ***(nós – começar – pretérito perfeito)*** bem o dia!

Julia – Leonardo, quantos anos você faz?

Leonardo – Essa pergunta é proibida!

Julia – Ah. Desculpe.

Lucia – Hoje vou trabalhar com mais vontade.

Fabio – Eu também vou trabalhar com mais ânimo. Que ótima ideia trazer a torta!

Leonardo – A ideia ________________ ***(ser – pretérito perfeito)*** da minha esposa.

Silvia – De quem é o próximo aniversário?

Antônia – O meu é semana que vem.

Tati – Ah. Então vamos ter torta novamente?

Antônia – Com muito prazer!

Julia – Torta de quê?

Fabio – De morango? Que tal?

Laura – Morango?... hummm... por que não torta de limão?

Antônia – Torta de limão é uma excelente ideia. ________________ ***(eu – poder – presente simples do indicativo)*** fazer torta de limão sem problema.

Lucia – Que dia é o seu aniversário?

Antônia – Segunda-feira. Eu ________________ ***(eu – trazer – presente simples do indicativo com ideia de futuro)*** coca-cola!

Silvia – Coca- cola?! Vamos trazer caipirinha!

Fabio – Caipirinha de manhã? Tá maluca?

Julia – Vocês não são sérios...

Antônia – Se bebo caipirinha de manhã, não consigo trabalhar direito.

Tati – hummm... que careta...

Leonardo – Estou com sede...

Laura – Quer um copo d'água?

Leonardo – Não, obrigado. ________________ ***(eu – querer – futuro do pretérito)*** uma caipirinha...

Silvia – Ih! O trem parou!

Lucia – Ai, meu Deus!

Julia – O que ____________ ***(acontecer – pretérito perfeito)***?

Laura – Sei lá.

Daniela – Ai, ai, ai... não quero chegar tarde no trabalho...

Fabio – Nem eu!

Antônia – Calma, gente, calma!

Fabio – Nada de pânico!

Leonardo – Ai, caramba! A torta ________________ ***(cair – pretérito perfeito)*** no chão!

Leonardo – Não foi minha culpa.

Antônia – Que pena!... eu ________________ ***(querer – futuro do pretérito)*** mais um pedaço...

Tati – Pega do chão!...

Silvia – Engraçadinha...

Laura – O trem ________________ ***(estar – presente simples do indicativo)*** em movimento de novo!

Julia – Ainda bem! Graças a Deus!

Leonardo – Estamos chegando na estação Central.

Fabio – Finalmente!

Antônia – Que bom!

Tati – Que bom nada! Vamos trabalhar...

Laura – É verdade.

Silvia – Que preguiça...

Sandro – Mas começamos bem o dia com a torta do Leonardo!

Daniela – Obrigada, Leonardo! A torta ________________ ***(estar – pretérito imperfeito)*** muito gostosa!

Leonardo – De nada.

Lucia – Na próxima semana vamos ter torta de limão!

Fabio – Que maravilha!

Antônia – A porta se abriu! Bom trabalho para todos!

Fabio – E bom dia!

Tati – Até amanhã, pessoal!

Silvia – Até amanhã!

Sandro – Até!

Julia – Obrigada mais uma vez, Leonardo!

Leonardo – Foi um prazer!

Todos – Tchau. Tchau. Bom trabalho. Parabéns, Leonardo! Até amanhã! Até!

____

____

____

____

____

PREPOSIÇÕES "POR" E "PARA"

Complete com a preposição adequada: *por*, *para* ou *pelo*, *pela*, *pelos*, *pelas*.

1 Mandei uma encomenda _______________ você, que chegará dentro de poucos dias.

2 Miriam pagou muito caro _______________ aqueles sapatos horríveis.

3 Eles viajaram _______________ os Estados Unidos na semana passada.

4 Ele levou muito tempo _______________ aprender o Futuro do Subjuntivo.

5 Nós pagamos um preço alto _______________ nossos erros.

6 A música "O trenzinho do caipira" foi composta _______________ Heitor Villa-Lobos.

7 Marcia foi contratada _______________ trabalhar naquela empresa _______________ ser amiga do Diretor.

8 Nós iremos _______________ a Europa de férias em agosto.

9 Vocês prepararam o projeto _______________ apresentar na reunião de segunda-feira?

10 Por favor, escreva seu nome _______________ extenso.

11 Ele não mede esforços _______________ conseguir o que quer.

12 A marchinha carnavalesca "Ó abre alas" foi composta _______________ maestrina Chiquinha Gonzaga _______________ o Carnaval carioca de 1899.

13 Na assembleia, o representante sindical falou _______________ todos os operários da fábrica.

14 _______________ quem é esse presente?

15 Sergio apresentou seu projeto de pesquisa _______________ uma comissão de sete pessoas.

Complete com a preposição adequada: *por*, *para* ou *pelo*, *pela*, *pelos*, *pelas*.

1 Não sei _______________ onde começar a arrumar a casa.

2 O romance Lucíola foi escrito _______________ escritor José de Alencar e publicado _______________ primeira vez em 1862.

3 Sempre que ele viaja traz presentes ________________ seus filhos.

4 A obra O guarani foi composta ________________ maestro Carlos Gomes e apresentada ________________ primeira vez em 1870.

5 Fiz uma proposta a Pedro e ele pediu um tempo ________________ pensar e decidir.

6 Esse quadro foi pintado ____________ Tarsila do Amaral.

7 As duas moças entraram na loja ________________ comprar havaianas.

8 O poema "Tabacaria" foi escrito ________________ poeta português Fernando Pessoa.

9 A mãe de Adelaide costurou sua fantasia ________________ o baile de Carnaval.

10 O cronista João do Rio percorria as ruas da cidade ________________ captar a sua verdadeira alma.

11 Troquei uns livros usados _______________ um CD novo.

12 Na praia, Ana chamou o rapaz ________________ comprar um sorvete.

13 Marcelo e Ana convidaram Pedro ______________ ir ao cinema depois da praia.

14 O compositor Braguinha compôs a marchinha "Linda loirinha" ______________ o Carnaval de 1934.

15 Ontem vi Alberto no metrô, ele estava atrasado ______________ uma importante reunião de negócios.

Complete com a preposição adequada: *por*, *para* ou *pelo*, *pela*, *pelos*, *pelas*.

1 Ana foi à livraria ______________ comprar um livro de presente para sua melhor amiga.

2 ______________ mim podemos organizar a festa para o próximo fim de semana.

3 Assim que as primas chegaram quiseram dar um passeio ______________ redondezas para conhecer a cidade.

4 Claudio tentou fazer uma reserva num hotel ______________ o próximo mês, mas o rapaz da recepção disse que, naquele período, eles só tinham quarto ______________ casal.

5 O nosso quarto na pousada em Búzios ficava de frente ______________ o mar.

6 Depois do acidente, foi um verdadeiro corre-corre _______________ ruas do bairro.

7 Itabuna, no sul da Bahia, é conhecida _______________ plantações de cacau.

8 Caminhar na areia é muito bom _______________ manter a forma.

9 Ele deixou-se envolver totalmente _______________ vida política da cidade.

10 Estamos plantando sementes _______________ um futuro melhor.

11 Ontem passei de carro _______________ sua rua.

12 Vamos deixar isso _______________ depois, agora temos assuntos mais urgentes _______________ resolver.

13 _______________ ela a vida era um grande mistério.

14 _______________ onde você andava? Há muito tempo eu não o ***(te)*** via!

15 Tudo o que ele fez foi _______________ o bem da própria família.

Complete com a preposição adequada: ***por***, ***para*** ou ***pelo***, ***pela***, ***pelos***, ***pelas***.

1 Os brasileiros são loucos ______________ futebol.

2 Esse quadro foi pintado especialmente ______________ mim ______________ um pintor cearense.

3 Passo ______________ essa rua todos os dias ______________ ir ao trabalho.

4 Quantas vezes tenho que te pedir ______________ não falar no celular durante o filme?

5 Ele faria qualquer coisa ______________ obter aquele emprego.

6 Estou ______________ aqui com essa história! Não aguento mais!

7 ______________ mim, ele é culpado. ***(= Eu acho que/na minha opinião ele é culpado)***.

8 ______________ mim pegamos a Rodovia do Sol, é bem mais agradável. ***(= Prefiro pegar a Rodovia do Sol.)***

9 Esse texto foi escrito ______________ Erico Veríssimo, um dos maiores escritores brasileiros.

10 _______________ mim tudo bem, não há nenhum problema em prorrogar nossa reunião _______________ a próxima quarta-feira.

11 _______________ algum motivo que não conhecemos, Maria desistiu de se casar.

12 Os três mosqueteiros diziam: "Um _______________ todos e todos _______________ um!"

13 Para ir _______________ a casa deles em Itaipava, passamos _______________ Araras.

14 Ele vai _______________ Porto Alegre _______________ participar de um congresso.

15 Eu passei no concurso _______________ Medicina.

PREPOSIÇÕES

Complete com a preposição adequada:

1 Ontem me aborreci muito ______________ algumas pessoas que não querem colaborar com o projeto.

2 Acabo ______________ fazer um bolo de chocolate delicioso! Acabe ______________ essa birra e venha prová-lo! Senão vou ficar chateada!

3 Eu lhe conselho ______________ não pensar muito. Procure acreditar ________________ projeto!

4 Maria aderiu __________ uma nova moda: agora ela acredita ______________ disco voador, vê se pode uma coisa dessas!!!

5 João não se conforma ______________ a novidade.

6 Não consigo deixar __________________ pensar que, quando saí, deixei diversas coisas ________________ fazer em casa!

7 Cuido muito bem __________ meus gatinhos porque eles dependem totalmente ___________ mim.

8 Você não pode continuar ______________ essa história! Continue ___________ estudar e você vai ver que conseguirá um bom resultado na prova!

9 Ele desconfia ______________ todo mundo! Insiste _________ dizer que não se pode confiar ________________ ninguém.

10 Naquela editora eu me encarregava ___________________ expedição dos livros.

11 Não hesite ___________ nos contatar, caso tenha alguma dúvida ou discorde ____________ algum item.

12 Maria esteve aqui em casa para me ensinar ___________ costurar. Eu sempre me interessei muito ____________ costura.

13 João e Maria desistiram __________ viver na miséria e fugiram ___________ casa.

14 Conto __________________ a sua ajuda para cuidar __________ casa.

15 Deixe ___________ história! Se você continuar ___________ pensar assim, não vai mais contar ____________ o nosso apoio.

Complete com a preposição adequada:

1 Como já mencionado anteriormente __________ nossa apostila, a avaliação nos ajuda _______ dimensionar adequadamente nosso trabalho.

2 Devemos todos aderir ___________ proposta do Comitê.

3 Para os que não se adaptaram ________ novo sistema de avaliação, está previsto um curso __________ próximos dias com a finalidade _________ explicar as novas ferramentas.

4 Através ______________ apostilas ele aprendeu _____ trabalhar com o novo método.

5 __________ próximos meses teremos uma avaliação que nos ajudará _________ verificar se nos identificamos ______ o curso que estamos fazendo.

6 João desistiu __________ projeto e optou ___________ se inscrever ______ outro grupo de estudos.

7 Meu professor de artes marciais me ensinou ___________ me defender.

8 Se continuar ___________ chover desse jeito, não vamos poder ir ________ praia amanhã.

9 Você desconfia ____________ quem possa ter feito isso?

10 É importante que algumas perguntas sejam feitas _______ explorar este assunto.

11 O contato _____ diferentes grupos é fundamental __________ a capacidade ____ interação.

12 Acabei ______________ fazer o trabalho e telefonei ____________ Maria. Mas acabamos ____________ discutir ____________ telefone.

13 Você acredita ____________ mau-olhado?

14 Não se esqueça _____________________ trazer seu livro.

15 Continuei ________ falar inutilmente; ninguém me ouvia.

Complete com a preposição adequada:

1 Ele é o encarregado ______________ compras nesse setor.

2 Não tenha raiva dela! Deixe ________________ criar problema!

3 Chega ____________ pensar nisso. Deixe _______________ resolver isso amanhã.

4 Eles discordaram _____________ tudo o que foi dito.

5 Não me acostumo _____________ barulho dessa casa! Ainda acabo ___________ me mudar daqui.

6 Sua mãe decidiu que a família se mudaria _____________ Porto Alegre.

7 Eles fizeram sua primeira viagem __________ Europa ____________ 1959.

8 De volta _________ Brasil depois de anos, tratamos ___________ procurar nossos velhos amigos.

9 _______________ ajudar nos estudos, ele foi trabalhar _________ vendedor ___________ loja do tio.

10 Ele foi transferido ____________ uma das filiais do banco e agora trabalha próximo __________ centro da cidade.

11 Ele acabou aceitando a proposta _____________ se tornar sócio da farmácia.

12 Ele é um ótimo ator e já atuou ____________ diversos filmes e várias peças de teatro.

13 A FLIP é a feira literária brasileira que acontece todos os anos ___________________ Parati.

14 _____________ Gramado, no Rio Grande do Sul, temos um importante Festival de Cinema, todos os anos no mês de outubro.

15 Quando faz sol Pedro prefere ir ____________ escola _________ bicicleta. Além de ser mais ecológico ele aproveita ____________ fazer exercício físico!

____

____

____

____

____

PRESENTE SIMPLES DO INDICATIVO, PRESENTE CONTÍNUO, PRETÉRITO PERFEITO

Complete o diálogo no tempo indicado entre parênteses, em seguida, exercite a entonação e a pronúncia.

No shopping center

Mariana – Oi, Fernanda! O que você _______________ ***(fazer – presente contínuo)*** por aqui?

Fernanda – Oi! _______________ ***(eu – vir – pretérito perfeito)*** comprar umas havaianas porque vou passar esse fim de semana na casa de amigos numa praia linda!

Mariana – Ah, posso ir com você?

Fernanda – Claro! Assim você _______________ ***(poder – presente simples do indicativo)*** me ajudar a escolher um modelo bem bonito.

Vendedora – Oi, posso ajudar?

Fernanda – Oi, quero ver umas havaianas pra mim tamanho 36.

Vendedora – Você _______________ ***(ter – presente simples do indicativo)*** preferência de algum modelo?

Mariana – Olha esse modelo aqui! Não é lindo?

Fernanda – É bonito, sim. ***(para a vendedora)*** Você tem 36 desse modelo?

Vendedora – Não tenho certeza, tenho que ver no estoque. Só um minuto que eu já volto.

Mariana – É modelo novo e nem está cara...

Fernanda – Vamos tomar um café depois?

Mariana – Vamos, mas acho que vou tomar um sorvete porque está muito calor.

Vendedora – _______________ ***(eu – achar – pretérito perfeito)*** o seu número. Tem nas cores branco e azul.

Fernanda – Gostei dessa branca... vou experimentar.

Vendedora – Pois não. Pode sentar ali e ficar à vontade.

Fernanda – Ficou perfeita! Vou levar essa aqui!

Vendedora – Qual a forma de pagamento?

Fernanda – Em dinheiro.

Vendedora – Por favor, pague ali no caixa e muito obrigada.

Fernanda – Mariana, _______________ ***(eu – adorar – pretérito perfeito)*** sua companhia! Vou pagar e já vamos tomar nosso sorvetinho!

Mariana – Ótimo! Vamos lá!

____

____

____

____

____

PRESENTE DO SUBJUNTIVO

Complete as lacunas conjugando os verbos entre parênteses no Presente do Subjuntivo, como no exemplo:

Espero que você _______________ *(fazer)* uma boa viagem!
Espero que você faça uma boa viagem!

1 Espero sinceramente que o Pedro _______________ *(dizer)* toda a verdade sobre o que ele viu.

2 Desejo do fundo do meu coração que ele _______________ *(realizar)* todos os seus sonhos.

3 Preciso que vocês _______________ *(ter)* paciência.

4 É muito importante que você _______________ *(ler)* as instruções antes de pôr essa máquina de lavar roupa para funcionar.

5 Sinto muito que você _______________ *(estar)* tão cansada, poderíamos dar uma volta se você tivesse dormido bem.

6 Não quero que eles _______________ *(pensar)* que eu fiquei chateado.

7 Torço muito para que vocês _______________ *(passar)* no concurso.

8 Espero que você _______________ ***(gostar)*** do presente, escolhi com muito carinho.

9 Espero que seu cachorrinho _______________ ***(melhorar)*** e _______________ ***(ficar)*** bom logo, mas é preciso que ele _______________ ***(tomar)*** o antibiótico por cinco dias.

10 Preciso que você _______________ ***(dar)*** uma olhadinha no relatório antes que eu o _______________ ***(apresentar)*** na reunião.

11 É necessário que ela _______________ ***(pedir)*** autorização antes de se ausentar por tantos dias.

12 Talvez você _______________ ***(precisar)*** dormir um pouco, está com umas olheiras muito profundas.

13 Tomara que amanhã _______________ ***(fazer)*** sol ! Estou louca para ir à praia!

14 Prefiro que vocês _______________ ***(tentar)*** fazer os exercícios sem consultar as anotações das aulas.

15 Duvido que ele não _______________ ***(gostar)*** das aulas de português!

Complete as frases ou diálogos conjugando os verbos entre parênteses no Presente do Subjuntivo, como no exemplo:

Tomara que eles ___________ ***(lembrar)*** de comprar a torta.
Tomara que eles lembrem de comprar a torta.

1 Não acredito que você _______________ ***(ter)*** coragem de fazer isso! Que maldade!

2 Lamento muito que ela não _______________ ***(entender)*** suas razões. Espero que em breve tudo se _______________ ***(resolver)***.

3 Fico feliz que vocês _______________ ***(fazer)*** essa escolha e _______________ ***(comprar)*** essa casa, que é realmente a melhor opção.

4 Ana – Suponho que ele não _______________ ***(querer)*** ir à festa depois do que você disse pra ele.
Marta – Prefiro que ele não _______________ ***(vir)*** porque estou muito magoada com o que aconteceu.

5 Sugerimos que vocês _______________ ***(ler)*** os exercícios com atenção, antes de completar as lacunas.

6 Pedimos que todos _______________ ***(ter)*** paciência.

7 Maria – Quero que vocês ______________ *(ser)* felizes na nova cidade.
Carla – Receio que isso ______________ *(ser)* impossível porque eu detesto cidade pequena.
Maria – É impossível que você não ______________ *(gostar)* de lá, a cidade é uma gracinha!

8 Fazemos questão que tudo ______________ *(estar)* pronto e perfeito para a hora da festa, os convidados vão começar a chegar a partir das 20 h.

Agora observe a tabela, em ordem alfabética, de expressões normalmente usadas com o Presente do Subjuntivo, que você viu acima.

A	B	C	D Desejo que Duvido que	E Espero que É importante que É impossível que É necessário que
F Faço questão que Fico feliz que	G	H	I	J
L Lamento que	M	N Não quero que Não acredito que	O	P Preciso que Peço que Prefiro que
Q Quero que	R Receio que	S Sinto muito que Sugiro que Suponho que	T Talvez Tomara que Torço para que	U
V	X	Z		

Complete as frases livremente usando o Presente do Subjuntivo, como nos exemplos:

Espero que você ____________ ***(gostar)*** do presente que comprei pra você.
Espero que você goste do presente que comprei pra você.

Talvez eles ____________ ***(preferir)*** ir à praia amanhã e não ao Jardim Botânico.
Talvez eles prefiram ir à praia amanhã e não ao Jardim Botânico.

Desejo que você ______________________________
____

Duvido que eles queiram ______________________________
____

Espero que vocês possam ______________________________
____

É importante que todos ______________________________
____

É impossível que as coisas ______________________________
____

É necessário que se tenha ______________________________
____

Faço questão que vocês se divirtam e ____________________

____

Fico feliz que vocês ______________________________________

____

Lamento que não seja possível ___________________________

____

Não quero que você pense que ___________________________

____

Não acredito que ela _____________________________________

____

Preciso que tudo seja ____________________________________

____

Peço ***(para)*** que todos ____________________________________

____

Prefiro que você não _____________________________________

____

Quero que vocês saibam que ____________________________

____

Receio que eles ____
____

Sinto muito que ela ____
____

Sugerimos que vocês ____
____

Suponho que você ____
____

Talvez nós ____
____

Tomara que a gente ____
____

Torço para que você ____
____

FUTURO DO SUBJUNTIVO

Complete as lacunas conjugando os verbos entre parênteses no Futuro do Subjuntivo, como no exemplo:

Quando vocês ____________ *(visitar)* a Chapada Diamantina, vão ficar impressionados com tanta beleza!
Quando vocês *visitarem* a Chapada Diamantina, vão ficar impressionados com tanta beleza!

1 Tenho certeza de que ele vai fugir se ele ____________ ***(ver)*** uma cobra.

2 Depois que eles ____________ ***(acabar)*** de fazer barulho eu vou conseguir dormir.

3 Quando José ____________ ***(chegar)*** devemos recebê-lo muito bem.

4 Eu só vou decidir o que fazer quando ____________ ***(ter)*** todos os elementos disponíveis para uma análise.

5 Nós falaremos com a Maria sobre isso quando o filme ____________ ***(terminar)***.

6 Se eles ____________ ***(tocar)*** bem essa noite, receberão aplausos em lugar das vaias habituais.

7 Os noivos ficarão felizes quando ____________ ***(receber)*** os presentes de casamento.

8 Os turistas ficarão perplexos quando ____________ ***(ouvir)*** as lendas sobre o lugar, que passam de geração a geração.

9 Se você ____________ ***(vir)*** para o Rio de Janeiro no próximo fim de semana, podemos fazer uma rápida excursão a Petrópolis.

10 Se vocês ____________ ***(querer)*** podemos organizar um piquenique numa praia um pouco fora da cidade.

11 Se amanhã ____________ ***(fazer)*** sol, vamos à praia?

12 Se nós ____________ ***(ter)*** paciência, vamos obter ótimos resultados.

____

____

____

____

____

FUTURO SIMPLES E FUTURO DO PRETÉRITO DO INDICATIVO E PRETÉRITO IMPERFEITO DO SUBJUNTIVO E FUTURO DO SUBJUNTIVO

Complete as frases como no exemplo:

Se você lesse o romance "O Cortiço", gostaria muito.
(Pretérito imperfeito do subjuntivo • Futuro do pretérito do Indicativo)
Se você ler o romance "O Cortiço", vai gostar/gostará muito.
(Futuro do Subjuntivo • Futuro com o verbo "ir" ou Futuro Simples do Indicativo)

1 Se as coisas ______________ ***(melhorar)***, nós ______________ ***(poder)*** viajar.
2 Se as coisas ______________ ***(melhorar)***, nós ______________ ***(poder)*** viajar.

3 Se eu ______________ ***(ser)*** veterinário, ______________ ***(cuidar)*** de todos os gatos e cachorros da vizinhança.
4 Quando eu ______________ ***(ser)*** veterinário, ______________ ***(cuidar)*** de todos os gatos e cachorros da vizinhança.

5 Se eu ______________ ***(comprar)*** o livro, com certeza ______________ ***(ler)***.
6 Se eu ______________ ***(comprar)*** o livro, com certeza ______________ ***(ler)***.

7 Se ele _____________ ***(ter)*** dinheiro, _____________ ***(comprar)*** um carro mais novo.

8 Se ele _____________ter) dinheiro, _____________ ***(comprar)*** um carro mais novo.

9 Se ela _____________ ***(ser)*** a diretora da empresa, as coisas por aqui _____________ ***(mudar)***.

10 Se ela _____________ ***(ser)*** a diretora da empresa, as coisas por aqui _____________ ***(mudar)***.

11 Se eu _____________ ***(saber)*** o que está acontecendo, _____________ ***(contar)*** tudo para ele imediatamente.

12 Se eu _____________ ***(saber)*** o que está acontecendo, _____________ ***(contar)*** tudo para ele imediatamente.

13 Se você me _____________ ***(convidar)*** para a festa eu _____________ ***(ir)*** sem dúvida.

14 Se você me _____________ ***(convidar)*** para a festa eu _____________ ***(ir)*** sem dúvida.

15 Se vocês _____________ ***(querer)*** ir ao cinema para ver aquele filme do Glauber Rocha de que falei, eu os _____________ ***(acompanhar)*** com muito prazer.

16 Se vocês _____________ ***(querer)*** ir ao cinema para ver aquele filme do Glauber Rocha de que falei, eu os _____________ ***(acompanhar)*** com muito prazer.

17 Se você ______________ ***(regar)*** as plantas todos os dias, elas não ______________ ***(morrer)***.

18 Se você. ______________ ***(regar)*** as plantas todos os dias, elas não ______________ ***(morrer)***.

19 Se você ______________ ***(fazer)*** ioga, se ______________ ***(sentir)*** mais calmo.

20 Se você ______________ ***(fazer)*** ioga, se ______________ ***(sentir)*** mais calmo.

21 Se ele ______________ ***(ter)*** um cachorro, se ______________ ***(sentir)*** menos sozinho.

22 Se ele ______________ ***(ter)*** um cachorro, se ______________ ***(sentir)*** menos sozinho.

23 Se Claudia ______________ ***(cortar)*** os cabelos, ______________ ***(ficar)*** bem mais bonita.

24 Se Claudia ______________ ***(cortar)*** os cabelos, ______________ ***(ficar)*** bem mais bonita.

CRIATIVIDADE E EXPRESSÃO

"Noite funda. Um gato caminha pela rua de pedras ainda molhadas, na cidade iluminada pelos lampiões."

Continue o texto.

CRIATIVIDADE E EXPRESSÃO – DIÁLOGO

Complete o diálogo com o tempo verbal indicado entre parênteses, exercite sua pronúncia e entonação e por fim continue o diálogo.

Vamos para Ipanema?

Marcos, Bruna e Regina se encontram em Copacabana, no Rio de Janeiro, e decidem ir para Ipanema.

Marcos – Oi, meninas, tudo bem?

Bruna – Oi, Marcos, você _____________ ***(estar – presente simples do indicativo)*** atrasado, hein!

Marcos – Desculpem! Antes de sair de casa _____________ ***(eu – receber – pretérito perfeito do indicativo)*** um telefonema e acabei me atrasando.

Regina – Bom, e então? O que nós vamos fazer?

Bruna – Vamos para Ipanema? A praia lá é melhor e depois a gente _____________ ***(poder – presente simples do indicativo)*** almoçar por lá mesmo.

Marcos – Acho ótimo. Copacabana está turística demais.

Regina – Sempre foi.

Bruna – E como a gente _____________ ***(ir – presente simples do indicativo)***? De metrô ou de ônibus?

Marcos – Vamos de ônibus! Assim a gente vai vendo a vista.

Regina – Ih... estou completamente sem trocado, tenho que trocar dinheiro antes. Acho que _____________ ***(eu –***

comprar – futuro com verbo "ir") uma revista para trocar o dinheiro. Vamos ali naquela banca?

Bruna – Não precisa comprar a revista só para trocar o dinheiro, eu ______________ ***(pagar – presente simples do indicativo)*** as passagens e depois a gente acerta.

Regina – Ótimo.

Marcos – Que ônibus vai para Ipanema?

Bruna – Daqui vários __________ ***(ir – presente simples do indicativo)*** para Ipanema. A gente também pode pegar qualquer ônibus que vá para o Leblon, todos passam em Ipanema.

Marcos – Olha lá! Está vindo um que vai para o Leblon! Esse serve?

Regina – Serve, sim. E nem está muito cheio. Vamos nessa!

Alguns segundos depois...

Bruna – Ih, caramba! O Marcos não ______________ ***(entrar – pretérito perfeito do indicativo)***!

Regina – Bem que eu ______________ ***(ver – pretérito perfeito do indicativo)*** que estava a maior confusão na porta na hora de entrar!

Bruna – E agora? O que a gente ______________ ***(fazer – presente simples do indicativo)***?

Regina – Vamos descer no próximo ponto e caminhar até ele. Espero que ele tenha o bom senso de esperar a gente.

Bruna – Você está vendo ele?

Regina – Pior que não estou vendo, não...

Continue o diálogo.

RESPOSTAS

Artigos Definidos e Indefinidos (p. 9):

1 a
2 o
3 o
4 o
5 os
6 o
7 o
8 as
9 a
10 a
11 o
12 a
13 a
14 os
15 o
16 as
17 a
18 as

Artigos Indefinidos (p. 9):

1 uma
2 um
3 um
4 uns
5 um
6 umas
7 uma
8 um
9 um/uma
10 um
11 umas
12 um
13 uma
14 um
15 uma
16 uma
17 uma
18 uns

Agora faça o contrário: onde você colocou o artigo definido, coloque o indefinido e vice-versa (p. 9).

Artigos Definidos —› Artigos Indefinidos

1 uma
2 um
3 um
4 um
5 uns
6 um
7 um
8 umas
9 uma
10 uma
11 um
12 uma
13 uma
14 uns
15 um
16 umas
17 uma
18 umas

Artigos Indefinidos —› Artigos Definidos

1 a
2 o
3 o
4 os
5 o
6 as
7 a
8 o
9 o/a
10 o
11 as
12 o
13 a
14 o
15 a
16 a
17 a
18 os

Complete as frases abaixo com os artigos definidos *(o, a, os, as)* (p. 10):

1 O
2 A
3 Os
4 As
5 A
6 A
7 O
8 O
9 A
10 As
11 O
12 As

Pronomes Possessivos

Complete as frases com os PRONOMES POSSESSIVOS adequados, conforme o exemplo (p. 11):

1 Minha
2 Minha
3 Seu
4 Nossa
5 Meu
6 Nossa
7 Meus
8 Nossa
9 Sua
10 Sua

Coloque na ordem correta (p. 11):

1 O pai do meu amigo é estrangeiro.
2 As tias de vocês são simpáticas e bonitas.
3 O cachorro dela é muito bravo e morde. / O cachorro dela é bravo e morde muito.
4 A escola deles fica numa colina de Florença.
5 O médico de vocês fala alemão?

Escolha a opção certa (p. 12):

1 dele
2 dela
3 nosso
4 meu
5 deles
6 nosso

7 deles
8 dela
9 nossa
10 de vocês

Substitua o trecho sublinhado com o pronome possessivo adequado, conforme o exemplo (p. 13):

1 dela
2 dele
3 deles
4 dela
5 dele
6 dele
7 dela
8 delas
9 dela
10 deles

Numerais e Verbos (regulares e irregulares) no Presente do Indicativo (p. 15)

Escreva por extenso os numerais e conjugue os verbos entre parênteses:

1 Tem / tenho / vinte e cinco.
2 Têm / seis / estudam.
3 Mil novecentos e sessenta e oito.
4 Tem / tenho / nove.
5 é / mil setecentos e oitenta e nove
6 fala / falo / três.
7 gosta / estudar / estudo / duas
8 vê / dezenove / gosta
9 estou / lavo / cento e onze
10 é / acho / é / treze

Pronomes Possessivos e Presente do Indicativo

Complete com os verbos *(regulares e irregulares)* no presente do indicativo ou com os pronomes possessivos dos pronomes pessoais entre parênteses (p. 17).

1 acordo / escovo / tomo / como
2 Minha
3 Meu / é / trabalha
4 Seus / estão
5 Nossa
6 é
7 Nossa / gosta
8 falam / falamos
9 temos
10 ensina
11 adora
12 pensa
13 estuda

Plural

Passe as seguintes frases para o plural (p. 19):

1 Os animais são amigos dos homens.
2 Os hotéis ficam na rua do bar. / Os hotéis ficam na rua dos bares.
3 Os jacarés são répteis?
4 Nos próximos meses vou hospedar uns amigos ingleses./nos próximos meses vamos hospedar uns amigos ingleses.
5 As raízes dos ciprestes são profundas, mas não se espalham.
6 Aqueles foram os melhores e mais felizes anos da minha vida.
7 Esses lençóis de linho são novos.
8 Meus tios são fregueses daquelas barracas da feira há muitos anos.

9 Que países vocês conhecem bem?
10 Os textos são muito fáceis e simples.
11 Minhas mãos estão doendo porque preguei muitos botões hoje. / nossas mãos estão doendo porque pregamos muitos botões hoje.
12 Vocês me emprestam seu lápis? Preciso fazer os exercícios das últimas lições. / vocês nos emprestam seus lápis? precisamos fazer os exercícios das últimas lições.
13 Eles são filhos de portugueses e são homens muito gentis.
14 Já comprei os pães para hoje. / Já compramos os pães para hoje.
15 Os irmãos da Paula são os intérpretes daqueles chineses, não dos espanhóis.

Complete as frases conjugando os verbos *(regulares e irregulares)* entre parênteses no Presente do Indicativo (p. 22).

1 bebem
2 parte
3 cuidam
4 cobre
5 comem
6 diz
7 fazem
8 vou
9 ouvimos / ouve
10 estamos / trabalhamos
11 presta
12 precisa
13 rimos / conversamos
14 sei
15 frequento

Complete os diálogos com os verbos no Presente Simples do Indicativo, em seguida, exercite sua pronúncia e entonação (p. 23).

No Bar: Custa / posso

No caixa: pago

No balcão: Tem / levo / quer / levo

Presente Simples do Indicativo com uso de Futuro

Complete as frases com os verbos *(regulares e irregulares)* no Presente Simples do Indicativo (p. 26).

1 partem
2 saio
3 vamos
4 lança
5 pretendo
6 vem
7 toca
8 respondo
9 telefono
10 faz

Complete o diálogo abaixo conjugando os verbos entre parênteses no Pretérito Simples do Indicativo (p. 28):

Podem / é / sou / moro / gosta / estamos / expõem / fala / são / são / tem / leva / custa / prefere

Conjugue os seguintes verbos na 2ª pessoa do plural *(vocês)* do indicativo presente (p. 30):

Inovam / admitem / prometem / assistem / respondem / inventam / escolhem / entram / saem

Conjugue os seguintes verbos na 1ª *(nós)* e na 3ª *(eles/elas)* pessoas do plural do presente do indicativo (p. 30):

11 repetimos / repetem
12 parecemos / parecem
13 distraímos / distraem
14 redigimos / redigem
15 descobrimos / descobrem
16 mentimos / mentem
17 tossimos / tossem
18 construímos / constroem
19 seguimos / seguem
20 reconhecemos / reconhecem
21 dormimos / dormem

Complete o texto com os verbos entre parênteses na primeira pessoa do singular *(eu)* no Presente do Indicativo (p. 31)

1 Acordo / levanto / lavo / preparo / dou / tomo / vou / leio / respondo / navego / volto / cozinho / como / preparo / faço / brinco / saio / volto / janto / tenho.

Agora reescreva o texto acima no "Discurso Indireto". Exemplo: Ela/ele normalmente acorda... (p. 32)

2 Acorda / levanta / lava / prepara / dá / toma / vai / lê / responde / navega / volta / cozinha / come / prepara / faz / brinca / sai / volta / janta / tem.

Discurso Indireto

Leia o texto abaixo e em seguida passe a apresentação de Antônio para o Discurso Indireto. Exemplo: O seu nome/o nome dele é Antônio... (p. 33)

O nome dele é Antônio de Souza e ele é um guia de turismo em Salvador, Bahia. Ele é formado em Turismo e apaixonado pela história de sua cidade natal e pela cultura de seu povo. A paixão pelo que faz e a tradicional hospitalidade baiana são o diferencial do seu trabalho. Recebe os turistas pessoalmente no aeroporto de Salvador e os leva até o hotel onde se hospedarão. Para mostrar a você, sua família ou amigos a nossa terra da alegria, propõe passeios que vão do clássico roteiro cultural, visitando as principais igrejas e praças, a programas de aventura, como o voo de helicóptero para ver a cidade de cima.
Entre os roteiros culturais, inclui a parte alta da cidade, começando pelo Porto da Barra, a Igreja da Vitória, a Praça do Campo Grande, cenário do Carnaval de Salvador, o Teatro Castro Alves, a Praça do Pelourinho, o Elevador Lacerda, para nomear somente alguns dos pontos turísticos importantes da cidade. Para aprofundar os conhecimentos sobre a nossa cultura e história, acompanha seus turistas para assistir a um autêntico culto de Candomblé, religião trazida para o Brasil pelos escravos africanos à época da Colonização.
Está à disposição de vocês para mais informações através de e-mail ou por telefone. Não hesitem em contatá-lo para conhecer a maravilhosa Salvador, um dos ícones culturais do Brasil!

Conjugue os verbos entre parênteses no Presente do Indicativo (p. 35)

1 fala
2 joga
3 estudamos
4 trabalha
5 gosto
6 gosta
7 é
8 vende
9 dividem
10 corro
11 come
12 rego
13 cuida
14 compra
15 bebem
16 gritam
17 conhece
18 diminui
19 é
20 gosta

Complete as frases com os verbos no Presente do Indicativo (p. 36)

1 passeio
2 durmo / tem
3 sente / tem
4 adoram / prefiro
5 vou
6 sai
7 perco
8 quer
9 possui
10 leem
11 cabem
12 dão
13 odeia
14 confia
15 veem
16 preferimos
17 vão
18 consigo
19 contribuem
20 cai

Complete o diálogo conjugando os verbos entre parênteses no Presente do Indicativo (p. 37):

Estuda / estudo / gosto / é / são / é / é / gostamos / filmamos / põe / é / somos / aprendem / é / bebem /

bebemos / comemos / falam / fala / ajuda / ficamos / começamos / aprendem / ficamos / fica

Complete o texto com os verbos *(regulares e irregulares)*, preposições ou pronomes possessivos entre parênteses (p. 39).
Na / nossa / somos / adoramos / nossa / traz / começamos / do / pedimos / da / nosso / ficou / concordou / acha / somos / preparou / nossa / uma / do / no / da / os /soubemos / gostamos / dissemos / preferimos.

Presente e Pretérito Perfeito Simples do Indicativo

Complete as frases, conjugando os verbos no Presente ou no Pretérito Perfeito Simples do Indicativo (p. 41):

1 dá
2 preparou
3 trabalha
4 trabalhou
5 gosta
6 gostou
7 está
8 veio
9 canta / sabe
10 cantou
11 gosta / suporta
12 fomos
13 precisa
14 fez / pediu
15 adora / foi / adorou
16 fiz / entendi
17 gosta / é
18 tem / concorda
19 foi / divertimos
20 dancei

Conjugue os verbos *(regulares e irregulares)* no pretérito perfeito simples (p. 43):

1 Dei um passeio a pé no parque, perto de casa.
2 Eles viram as vantagens e as desvantagens dessa decisão.

3 Ele chegou do trabalho ao meio-dia.
4 Vim para ficar.
5 Você soube arrumar as flores muito bem.

Complete o texto (p. 44)
Tocou / notei / levantei / tomei / preparei / vi / Desci / comprei. Voltei / terminei / decidi.

Preencha as frases para completar os diálogos com os verbos no Pretérito Perfeito do Indicativo (p. 44):
Diálogo 1: fez / fiz / fui / tomei / comprei / comprou / comprei
Diálogo 2: foi / telefonei / esqueci / fiquei / terminei / consegui / fui

Pretérito Perfeito Simples
Complete as frases com os verbos no Pretérito Perfeito do Indicativo (p. 45):

1 cantou
2 bebemos.
3 partiu
4 cuidaram / esteve
5 saiu
6 caímos
7 cobriu
8 comeram
9 falaram / entenderam
10 fez
11 foi
12 leu
13 beberam
14 partiu
15 caí / quebrei
16 comi
17 deu
18 disse
19 falaram
20 fizeram

21 visitamos
22 pôs / esqueci
23 tiveram
24 caiu / rimos
25 soube / esteve

Complete o diálogo abaixo conjugando os verbos entre parênteses no Pretérito Simples do Indicativo (p. 49):
achei / dei / disse / cobra / deu / estive / paguei / aconteceu / comprei / aconteceu / falou / separei / soube / soube / vendeu / surtou / juntou / soube / deixou / entrou

Pretérito Imperfeito do Indicativo

Escolha a opção adequada (p. 55).

b) pisava
a) decidiam
b) gritava
c) era
b) morava
b) comemoravam

Pretérito Imperfeito do Indicativo

Conjugue os seguintes verbos na 2ª pessoa do plural *(vocês)* do Pretérito Imperfeito do Indicativo (p. 56):
Faziam / conheciam / prometiam / mediam / esqueciam / estudavam / convidavam / escolhiam / entravam / saíam

Conjugue os seguintes verbos na 1ª *(nós)* do plural e na 3ª *(ele/ela)* pessoas do singular do Pretérito Imperfeito do Indicativo (p. 57):

1 Repetíamos/ repetia
2 Parecíamos / parecia

3 Fazíamos/ fazia
4 Escrevíamos/ escrevia
5 Sonhávamos/ sonhava
6 Pedíamos/ pedia
7 Líamos/ lia
8 Observávamos / observava
9 Caminhávamos/ caminhava
10 Merecíamos / merecia
11 Dormíamos/ dormia

Complete as frases com os verbos no Pretérito Imperfeito do Indicativo (p. 57):

1 ficava
2 percorria
3 escrevia
4 era
5 ensinava / morava
6 ia
7 corria / saía
8 vinha
9 fazíamos / eram
10 deixavam
11 tomava
12 surgiam
13 iam
14 colhiam
15 tinham

Preencha as frases dos diálogos com os verbos no Pretérito Imperfeito do Indicativo (p. 61):

Diálogo 1: Era / gostava / detestava / era / cansava / tinha / sentia.
Diálogo 2: Tinha / frequentava / estudava / adorava / gostava / tirava / conseguia / sabia.
Diálogo 3: Costumava / via / passavam / escolhia /preferia.

Complete os diálogos com os verbos no tempo do modo indicativo indicado entre parênteses (p. 63):

1 quer / prefiro / acha / anda
2 achou / achei / vive / pediu / dei / eram / era / estava
3 telefonou / me esqueci / vou telefonar / lembrou / lembrei / estão /esquece
4 foram /fomos / gostamos

Complete as frases conjugando os verbos entre parênteses no Presente Contínuo do Indicativo, como no exemplo (p. 65):

1 está lendo
2 está cantando
3 estão passando
4 estão comendo
5 estou falando
6 estamos fazendo
7 está indo
8 está lendo
9 estão mentindo
10 estão vendo
11 está insistindo
12 estamos perdendo
13 estão precisando
14 está querendo
15 está rindo
16 está aprendendo
17 está ficando
18 está pensando
19 está decidindo

Complete as frases conjugando os verbos entre parênteses no Presente Contínuo do Indicativo, como no exemplo (p. 67):

1 estou abrindo
2 estão cessando / estamos indo
3 estão achando

4 estão acordando
5 estou tomando
6 está jogando
7 estou brigando
8 estão cansando
9 está cantando
10 estão chegando
11 estão combinando
12 estou almoçando
13 estão começando
14 estão compartilhando
15 estou comprando

Complete as frases conjugando os verbos entre parênteses no Presente Contínuo do Indicativo, como no exemplo (p. 68):

1 estou acordando
2 está querendo
3 estou dormindo
4 está fazendo / está viajando
5 está arrumando
6 estamos falando
7 estão fazendo
8 está falando
9 está gritando
10 está indo
11 está olhando
12 está trocando
13 está mentindo
14 estamos perdendo
15 está precisando

Complete o diálogo abaixo conjugando os verbos entre parênteses no Presente Contínuo do Indicativo (p. 72).

está puxando / está morrendo / estamos trabalhando / estamos gravando / estão descansando / estão gostando / está suando / estamos adorando / estou amando

Passado Contínuo

Complete as frases conjugando os verbos entre parênteses no Passado Contínuo do Indicativo, como no exemplo (p. 75):

1 estava cantando / estava ouvindo
2 estavam bebendo
3 estava indo
4 estava combinando
5 estava caindo
6 estava arrumando
7 estava chegando
8 estava comendo
9 estavam começando
10 estava acreditando / estava vendo
11 estava olhando
12 estava achando
13 estavam tomando
14 estava despedindo
15 está duvidando

Una a coluna da esquerda à da direita para completar os diálogos (p. 77).

1 b
2 e
3 a
4 c
5 d

Pronomes Demonstrativos

Complete com o Pronome Demonstrativo adequado esse *(s)*, essa *(s)*, aquele *(s)*, aquela *(s)*, isso, aquilo (p. 80).

1 Essa / aquela
2 Aquele
3 Isso
4 Esses / aqueles.
5 Essa / aquela – Aquela / essa
6 aquilo
7 Esse
8 Essa / aquela
9 Esses / aqueles
10 isso
11 Essas
12 Esses / aqueles
13 Essas / aquelas
14 Essas / aquelas
15 Esse / aquele
16 Esse / aquele
17 esse
18 Isso
19 Esse

Complete o diálogo com esse, essa, aquele e isso (p. 82).
aquele / isso / aquele / essa / essa / essas – aquelas / aquele

Preencha as lacunas com o Pronome Demonstrativo adequado e continue o diálogo (p. 83).
Daquela / aquela / aquele / aquele / nesse / essa / essa / aquela

Tudo ou Todo?

Complete as frases a seguir com "tudo, todo, toda, todos, ou todas" (p. 85).

1 todo
2 toda
3 todos / tudo
4 Todas / todos
5 tudo
6 tudo
7 Todos
8 todas
9 Todo
10 Todos / tudo
11 toda / tudo
12 Todas
13 tudo
14 Todo
15 todos
16 Todo / tudo
17 Todos
18 tudo / tudo
19 todas
20 toda
21 tudo
22 Todas
23 toda
24 todo
25 tudo

Complete os diálogos a seguir com "tudo, todo, toda, todos, ou todas" (p. 87).

1 todas
2 todo / toda / todas / tudo / todo / toda / todo
3 tudo
4 todo / toda
5 toda / todos
6 tudo
7 todo / todas
8 tudo
9 todo / todos / tudo
10 toda / todos

Futuro Simples do Indicativo

Complete as frases com o Futuro Simples do Indicativo dos verbos entre parênteses (p. 90).

1 estarão
2 será
3 irá
4 trabalharemos
5 direi
6 cantarão
7 será
8 lerá
9 dará
10 estudaremos
11 iremos
12 farão
13 deverá
14 aprenderá
15 diremos
16 será
17 ficarão
18 fará / caminhará
19 pensarei
20 escolherá

Complete as frases com os verbos entre parênteses no Futuro Simples do Indicativo (p. 92).

1 acabará
2 ajudará
3 apagarei
4 cortará
5 escutará
6 estarei
7 trará
8 assistiremos
9 pegará
10 receberá

11 acordarão
12 escreverei
13 acordará
14 voltarei
15 direi
16 trará
17 terá
18 diremos
19 escreverão
20 ligará

Agora coloque os verbos das frases no "Futuro com verbo ir" do Indicativo (p. 94).

1 vai acabar
2 vai ajudar
3 vou apagar
4 vai cortar
5 vai escutar
6 vou estar
7 vai trazer
8 vamos assistir
9 vai pegar
10 vai receber
11 vão acordar
12 vou escrever
13 vai acordar
14 vou voltar
15 vou dizer
16 vai trazer
17 vai ter
18 vamos dizer
19 vão escrever
20 vai me ligar

Futuro com o verbo "ir"

Complete as frases com o Futuro com verbo "ir", como no exemplo (p. 95):

1 vou pedir
2 vão ajudar
3 vai voltar
4 vai falar
5 vão ler
6 vamos tomar
7 vai participar
8 vamos comer
9 vou conhecer
10 vão escolher

Agora coloque os verbos das frases no Futuro Simples do Indicativo (p. 96).

1 pedirei
2 ajudarão
3 voltará
4 falará
5 lerão
6 tomaremos
7 participará
8 comeremos
9 conhecerei
10 escolherão

Presente do Indicativo, Presente Contínuo, Passado Contínuo e Futuro com o verbo "ir"

Complete o diálogo abaixo com os verbos no tempo do modo indicativo indicado entre parênteses (p. 97):

Quer / tem / tem / quero / Vai querer / Vou querer / Estou pensando / vejo / vamos tomar / quer / está / estava pensando / pensamos / acham / está / falo / vai gostar / está / ligo / disse / está / vai falar / vai telefonar

Futuro do Pretérito

Complete os diálogos abaixo conjugando os verbos entre parênteses no Futuro do Pretérito, como no exemplo (p. 100):

1 faria / gostaria / faria
2 viria / adoraria/ se divertiria / teria / gostaria / iria / poderia
3 Queria / teria / emprestaria / poderia / ofereceria

Complete as frases abaixo conjugando os verbos entre parênteses no Futuro do Pretérito, como no exemplo (p. 101):

1 gostaríamos
2 poderia

3 faria
4 queria
5 deveriam
6 moraria
7 teria
8 construiria
9 pegaria
10 publicaria
11 queria
12 faria
13 traria
14 leria
15 chegaria

Criatividade e Expressão – Diálogo

Preencha com o verbo entre parênteses, em seguida, exercite a sua pronúncia e entonação (p. 104).

Deseja / queria / gostaria / queria / quer / preciso / devo / tem / vou cozinhar

Imperativo

Complete as frases e diálogos abaixo com o Imperativo de tu, você ou vocês (p. 106).

1 Faça / faça
2 pede
3 tenta
4 Acabe
5 Fiquem
6 reserva / compra
7 deixe
8 Fale
9 Peçam
10 passa
11 Leiam
12 esqueçam

Complete os diálogos abaixo com o Imperativo de tu, você ou vocês (p. 107).

1 Tenha
2 traz / convida / telefona
3 façam / cala / enche
4 pergunte / deixe / tente

5 Dá

Complete os diálogos abaixo com o Imperativo de tu, você ou vocês (p. 109).

1 siga / vire
2 suba / vire / percorra / desculpe
3 vem
4 diga
5 faz / Diga / Pegue / distribua / abra / ponha

Complete o diálogo com o Imperativo ou com o Presente Contínuo, depois leia o diálogo para exercitar sua pronúncia e entonação (p. 111).

Vira / estão viajando / ponham / queria / complica / fiquem / está vendo / espere / lembre-se

Complete o diálogo com o Imperativo, depois leia o diálogo para exercitar sua pronúncia e entonação (p. 113).

Anote / separe / continue / limpe / bata / dissolva / coloque / ponha / bata / leve / acrescente / pare / mexer / acrescente / continue / adicione / acrescente.

Pretérito Perfeito Composto

Complete as lacunas com os verbos no Pretérito Perfeito Composto, como no exemplo (p. 119):

1 tenho falado
2 têm procurado
3 têm estudado
4 tem lido
5 tem trabalhado
6 tem ensinado

7 tem tocado
8 tem pensado
9 temos pesquisado
10 têm se manifestado
11 têm visto
12 tem feito
13 tem pedido
14 tem posto
15 temos pedido
16 tem vendido
17 tenho corrido
18 tem escrito
19 têm vindo
20 têm servido

Una a coluna da direita à da esquerda para formar o diálogo no Pretérito Perfeito Composto (p. 121).

1 d
2 e
3 b
4 a
5 c

Pretérito Mais-Que-Perfeito Composto

Complete as frases conjugando o verbo "ter" no Imperfeito do Indicativo e colocando o segundo verbo entre parênteses no particípio para formar o Pretérito Mais-Que-Perfeito Composto (p. 123).

1 tínhamos combinado / tinham saído
2 tinha começado
3 tínhamos levantado / ***(tínhamos)*** ido
4 tinha ligado / ***(tinha)*** contado
5 tinha entendido
6 tínhamos expedido
7 tinha acabado
8 tinha acordado
9 tinha tirado
10 tinha engrenado
11 tinha chegado
12 tinham feito

Complete as frases conjugando o verbo "ter" no Imperfeito do Indicativo e colocando o segundo verbo entre parênteses no particípio para formar o Pretérito Mais-Que-Perfeito Composto (p. 124).

1 tinha roído
2 tinha dito
3 tínhamos visto
4 tinham vindo
5 tinham ido / ouvido
6 tinha bebido
7 tinha lido
8 tinha tido
9 tinha posto
10 tinha comido
11 tinha pedido
12 tinham tomado

Infinitivo Pessoal Flexionado

Complete as frases com os verbos no Infinitivo Pessoal Flexionado (p. 128).

1 ler
2 fazermos
3 irem
4 vermos
5 ir
6 comemorar / comemorarmos
7 se preparar / se prepararem
8 estudarmos
9 terminar
10 levarem
11 cantarem
12 fazer / fazerem
13 estudarem
14 acordar
15 entrarem / dançarem

Una a coluna da direita à da esquerda para completar os diálogos (p. 130).

1 d
2 e
3 a
4 b
5 c

Pronomes Relativos

Complete as frases abaixo com os pronomes relativos que, quem, onde, o qual, os quais, a qual, as quais, cujo, cuja, cujos, cujas. ***(pode haver mais de uma opção)*** (p. 131).

1 que / as quais
2 que / quem
3 que
4 cuja
5 que / a qual
6 cujas
7 cujos
8 que
9 que
10 quem / o qual
11 a qual
12 onde

Una a coluna da esquerda com a da direita para completar as frases (p. 133).

1 d
2 a
3 b
4 e
5 c

Pronomes Oblíquos átonos e tônicos

Substitua os trechos sublinhados com os pronomes oblíquos átonos ou tônicos (p. 134).

1 deu-lhe
2 contou-lhe
3 as escreveu
4 os vendeu
5 os doou
6 a compôs
7 o deixava / o obrigava
8 o enviou
9 o conheceu
10 contatá-los / dizer-lhes
11 os entregou
12 pediu-lhe
13 as convidou
14 agradeceram-lhe
15 enviá-la
16 os recebeu
17 o reconhece
18 comprei-lhe

19 trouxe-lhe
20 a apresentou

Crase

Complete as frases com a crase quando for necessário (p. 138).

1 à	5 às	9 a / a	13 as
2 a	6 à	10 à / às	14 à
3 a / a	7 à	11 a	15 à
4 à	8 a	12 às	16 a / a

Presente do Indicativo, Futuro com verbo "ir", Pretérito Perfeito, Futuro do Pretérito, Pretérito Imperfeito do Indicativo

Complete o Diálogo no tempo indicado entre parênteses, em seguida, exercite a entonação e a pronúncia (p. 140).

vai comemorar / trouxe / quero / cortei / fez / começamos / foi / posso / trago / queria / aconteceu / caiu / queria / está / estava /

Preposições "por" e "para"

Complete com a preposição adequada: "por", "para" ou "pelo", "pela", "pelos", "pelas" (p. 145).

1 para	6 por	11 para
2 por	7 para / por	12 pela / para
3 para	8 para	13 para / por
4 para	9 para	14 Para
5 por / pelos	10 por	15 para

Complete com a preposição adequada: "por", "para" ou "pelo", "pela", "pelos", "pelas" (p. 146).

1 por	6 por	11 por
2 pelo / pela	7 para	12 para
3 para	8 pelo	13 para
4 pelo / pela	9 para	14 para
5 para	10 para	15 para

Complete com a preposição adequada: "por", "para" ou "pelo", "pela", "pelos", "pelas" (p. 148).

1 para	6 pelas	11 pela / por
2 Por	7 pelas	12 para / para
3 pelas	8 para	13 Para
4 para / para	9 pela	14 Por
5 para	10 para	15 para

Complete com a preposição adequada: "por", "para" ou "pelo", "pela", "pelos", "pelas" (p. 150).

1 por	6 por	11 Por
2 para / por	7 Para	12 por / por
3 por / para	8 Por	13 para / por
4 para	9 por	14 para / para
5 para	10 Por / para	15 para

Preposições

Complete com a preposição adequada (p. 152):

1 com	3 a / no	5 com
2 de / com	4 a / em	6 de / para-por

7 de – dos / de
8 com / a
9 de / em / em
10 da / pela
11 em / de
12 a / por
13 de / de
14 Com / da – de
15 de / a / com

Complete com a preposição adequada (p. 154):

1 na / a
2 à
3 ao / nos / de
4 das / a
5 nos / a / com
6 do / por / em
7 a
8 a / à
9 de
10 para
11 De – dos / para / de
12 Por – de / para / por / ao – por
13 em
14 de
15 a

Complete com a preposição adequada (p. 155):

1 das / pelas
2 de
3 de / para
4 de
5 ao / por
6 para
7 pra / em
8 pro / de
9 Para / como / na
10 para / ao
11 para
12 em
13 Em
14 em
15 à – pra / de / para

Presente Simples do Indicativo, Presente Contínuo, Pretérito Perfeito

Complete o Diálogo no tempo indicado entre parênteses, em seguida, exercite a entonação e a pronúncia (p. 158).

está fazendo / vim / pode / tem / achei / adorei

Presente do Subjuntivo

Complete as lacunas conjugando os verbos entre parênteses no Presente do Subjuntivo (p. 160).

1 diga
2 realize
3 tenham
4 leia
5 esteja
6 pensem
7 passem
8 goste
9 melhore / fique / tome
10 dê / apresente
11 peça
12 precise
13 faça
14 tentem
15 goste

Complete as frases ou diálogos conjugando os verbos entre parênteses no Presente do Subjuntivo (p. 162).

1 tenha
2 entenda / resolva
3 façam / comprem
4 queira / venha
5 leiam
6 tenham
7 sejam / seja / goste
8 esteja

Futuro do Subjuntivo

Complete as lacunas conjugando os verbos entre parênteses no Futuro do Subjuntivo, como no exemplo (p. 167):

1 vir
2 acabarem
3 chegar
4 tiver
5 terminar
6 tocarem
7 receberem
8 ouvirem
9 vier
10 quiserem
11 fizer
12 tivermos

Futuro Simples e Futuro do Pretérito do Indicativo e Pretérito Imperfeito do Subjuntivo e Futuro do Subjuntivo

Complete as frases como no exemplo (p. 169):

1 melhorassem / poderíamos
2 melhorarem / poderemos ***(vamos poder)***
3 fosse / cuidaria
4 for / cuidarei ***(vou cuidar)***
5 comprasse / leria
6 comprar / lerei ***(vou ler)***
7 tivesse / compraria
8 tiver / comprará ***(vai comprar)***
9 fosse / mudariam
10 for / mudarão ***(vão mudar)***
11 soubesse / contaria
12 souber / contarei ***(vou contar)***
13 convidasse / iria
14 convidar / irei ***(vou)***
15 quisessem / acompanharia
16 quiserem / acompanharei ***(vou acompanhá-los)***
17 regasse / morreriam
18 regar / morrerão ***(vão morrer)***
19 fizesse / sentiria
20 fizer / sentirá ***(vai se sentir)***
21 tivesse / sentiria
22 tiver / sentirá ***(vai se sentir)***
23 cortasse / ficaria
24 cortar / ficará ***(vai ficar)***

Complete o diálogo com o tempo verbal indicado entre parênteses, exercite sua pronúncia e entonação e por fim continue o diálogo.

está / recebi / pode / vai / vou comprar / pago / vão / entrou / vi / faz

AUTORA

Tatiana Ribeiro é graduada em Letras e mestre em Literatura Comparada pela Universidade Federal do Rio de Janeiro (*UFRJ*) e em Ciências da Educação, área de Didática de Línguas Estrangeiras, pela Università degli Studi di Firenze, na Itália. É tradutora e autora de artigos e contos publicados no Brasil e na Itália. Este livro é resultado de suas pesquisas e experiência de mais de dez anos como docente em cursos de Português para Estrangeiros.

Este livro foi impresso em junho de 2015
pela Orgrafic Gráfica e Editora Ltda.,
sobre papel offset 90g/m².